できちゃいました！
フツーの学校

富士晴英とゆかいな仲間たち

岩波ジュニア新書 922

まえがき

「あなたは、この学校をどんな学校にしたいのか？」

と、校長になる前に、人生のパートナーである妻に問われました。とっさにこたえることができなかったことを覚えています。そして、校長6年生の今でも、考え続けています。

私が勤務しているのは、東京の私立中学校・高等学校です。私が初めてフルタイムで勤務したのが、この職場でした。30歳を過ぎていました。それまでは、主に学習塾の講師をしていました。その前は、大学院生でしたが、修士論文をクリアできず、中退。後日、在籍証明書を発行してもらう必要があったので、大学の事務室におもむくと、中退ではなく、除籍《じょせき》という処理だったことを伝えられました。そもそも、教員免許を取ったのは大学を卒業した後、20代後半でした。

勤務校での私の教員としてのキャリアは、30年以上になりました。しかし、もちろん、冒頭の問いにこたえるために仕事をしていたわけではなく、目の前の生徒や教員に自分なりの働きかけを行うことで、それなりの職業意識を感じていたように思います。

この本の読者と想定している中学生・高校生のみなさんにとっては関係のない、しかし、私にとってはシンプルな事実から話を始めたのは、私もみなさんも、それぞれの目の前の現実のなかで、試行錯誤《しこうさくご》しながら生きているという関係性を前提にしたいと考えたからです。

目の前の現実は、思うようにコントロールすることが難しいですね。いくつもの要素がこんがらがって存在し、どこから考え、整理すればいいのか、途方《とほう》に暮れてしまいそうです。矛盾《むじゅん》した現実のなかで生きていくことは、すなわち葛藤《かっとう》を生じます。ときには親や家族と。あるときには、教員や学校と。またあるときには、信じていたはずの友や思いを寄せていたはずの存在とも……。

ひるがえって言えば、生まれた時期に「時差」があり、生きてきた長さにともなうさまざまな違いはありながら、私もみなさんも、それぞれの試行錯誤や葛藤を繰り返しながら、今を生きています。ここでは、その違いを強調するのではなく、同じ時代を生きている者同士として、あるいは、ところ違えど、学校という場を共有している者同士として、対話できることを求めていこうと思います。そのひとつの事例として、自分が勤務している学校で、私が生徒たちや教員たちに発信しているメッセージと、それらに対する彼らや彼女らからの反応や、逆に、生徒たちや教員たちから私に投げかけられたメッセージと、それらに対する私の考えを紹介することで、私とみなさんとの距離感を、共有したいと思います。

したがって、この本の構成も、双方向性《そうほうこうせい》のあるものにしたいと思います。

第1章は、私からのメッセージです。本というものを初めて書く私は、みなさんにとっては、正体不明の無名の存在ですね。恥ずかしながら、名乗りを上げなければなりません。私が大切にしているいくつかのキーワードを説明することで、私なりの教育観を知っていただきたいと思います。

第2章は、その意を汲《く》んでか、あるいはまったく独自に、校内外でさまざまな活動を行ってくれている教員たちからのメッセージです。そして、その教員たちがつくった場での、生徒たちとの対話です。対話というのは、本音を語り合うことによって、より大切な人間関係をつくろうとする方法です。そのためには、雑談会とでもいう雰囲気のなかで、双方向性をもつ関係性を大切にしました。

第3章は、私なりの総括です。自分の教育観の実践の成果と課題を振り返ってみました。

ところで、この本のタイトルにある、「フツーの学校」。どんな学校だと思いますか？　特別な生徒や教員がいるわけではない学校です。たとえば、東大や京大に毎年何人も進学する超進学校でもなく、エスカレーター式に有名大学に進める付属校でもありません。スポーツで毎年全国大会に出場するようなスポーツ伝統校でもありません。ついでに言えば、豪華な施設設備が整っているリッチな学校でも、はい……ありません！

私が校長を務めているのは、東京の中野区にある宝仙《ほうせん》学園という私立の中学校・高等学校です。１９２８年に設立され、前身は女子校でしたが、２００７年に共学部を設置しました。中学校と高等学校に「共学部理数インター」、そして高等学校女子部があります。

中学校と高等学校なので、12歳から18歳までの多感な年齢の生徒が集まっています。その、ちょっと複雑な、フツーの成長過程を見守ってやろうかという教員と、そういう教員の思いを受け入れてみようかという生徒たちのストーリーが、日々展開されている学校です。つまり、全国どこにでもある学校です。

校長の私は、そのことを、ありがたく思っています。こんなにフツーの教員たちと生徒たちがいっぱいいてくれる学校だからです。著者名の「ゆかいな仲間たち」。ときに一緒に、ときにそれぞれに、試行錯誤しているうちに、この素敵な学校をつくってしまった仲間たちです。この本では、この企画に賛同してくれて、原稿を書いてくれたり、雑談会に協力してくれたりした教員たちと生徒たちしか紹介できませんでしたが、彼らや彼女らは、この学校の教員たちと生徒たちの代表であると同時に、全国のフツーの教員、フツーの生徒たちの代表でもあります。

そして、表紙の面白さに惹《ひ》かれて、この本を手に取ってくれたあなた！　そうです。もちろん、あなたも「ゆかいな仲間たち」の大切な一員です。

これは、あなたが共感できる本になっていると思いますよ。

さて、はじまりはじまり……。

目次

まえがき　富士晴英　1

第1章　これでも校長です！
――問わず語りの教育論

1　学校とは、「知的で開放的な広場」だ！　3
2　高校生は、「自己ベストの更新」を目指そう！　10
3　中学生には、「自己肯定感」をもってほしい！　16
4　しくじり先生として、「君たちはどう生きるか」を問う！　23
5　「学ぶ」ってどんなこと？　自分で感じ、考えることからはじまるのかもしれない！　29

第2章 ゆかいな仲間たちの楽しい学び　35

1 フツーの学校の楽しい学び　右田邦雄　37
理数インターで学んだこと　飛田祥太　59
英語プレゼンという人生最大の恐怖の時間!?　相澤陽太　64
2 「答えのない学び」、これまでとこれから
――教科「理数インター」の誕生　米澤貴史　69
教科「理数インター」でこんなに変わった!　中学生たちとの雑談会　98
3 自分の思いを伝える読書プレゼン　金子忠央　118
自分の好きな本について話そう!　中学生・高校生たちとの読書雑談会　134
4 フツーのJKが世界大会まで出場しちゃいました!!　氷室　薫　148
私たちの部活哲学　女子部ダンス部8期生たちとの雑談会　167

第3章 もう一度、「あなたは、この学校をどんな学校にしたいのか?」 富士晴英 181

まさかのあとがき ――「休校要請」から学校再開へ 189

あとがき 199

編集協力=アトミック

第1章

これでも校長です！
――問わず語りの教育論

富士晴英

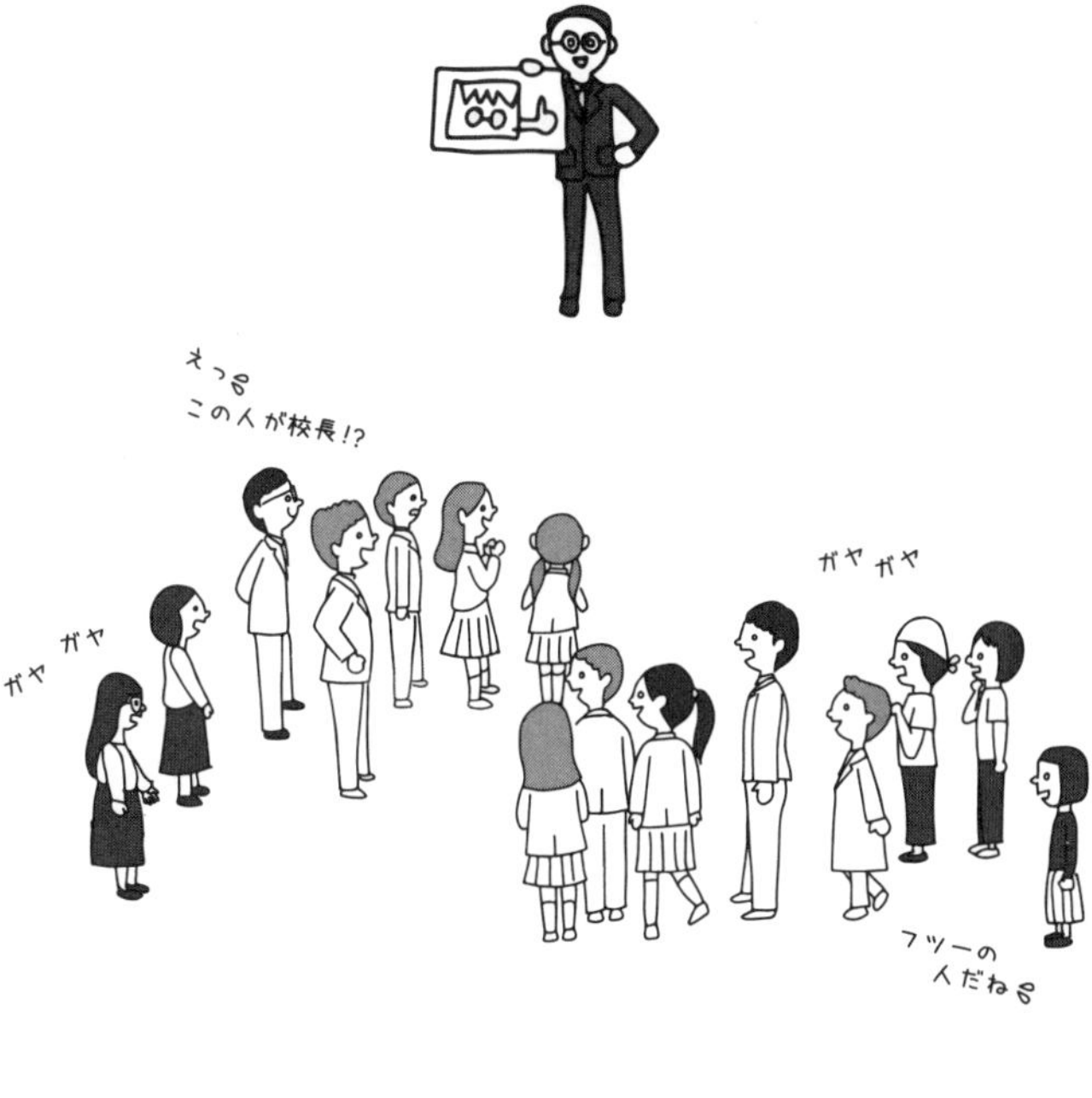
えっ
この人が校長!?
ガヤ ガヤ
ガヤ ガヤ
フツーの
人だね

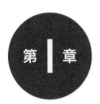

Ⅰ 学校とは、「知的で開放的な広場」だ！

★ 校長以前

校長になるということは、自分の「人生予報」のなかには、ありませんでした。とはいえ、勤務している学園からの命で40代で教頭になり、校長になる前は副校長という役職になっていたので、いわゆる管理職の経験は、積んでいたほうだと思います。しかし、「私は、どのような学校にしたいのか」という問いをみずから立てて、日々検証を怠《おこた》らなかった……、などということは、ありませんでした。

私の経験では、教頭や副校長という役職は、やはり中間管理職というべきもので、学校という組織のマネジメントが主たる業務だと思います。同時に、私が勤務する、私立のいわゆるブランド校とは言えない中堅校は、生徒募集に工夫を凝《こ》らし、労力を投入する必要があります。私の場合は、生徒募集に関する仕事の比重が大きくなってくるにしたがい、「自分の勤務している学校が高い評価を得るためにはどうしたらいいか」を考えることが、重要な仕事と思うようになっていたと思います。

長く中間管理職を務めて身につけてしまった「ならい」は、組織防衛本能だったのではないかと、今にして思います。当時の私にとっては、それは意識する以前のことだったでしょう。

ですが、今は、こう思います。もし、読者のみなさんが中間管理職という立場になることがあったら、危機管理意識はもちろん大切ですが、どのような組織、どのような学校をつくるかということを、意識に上げたほうがいいですよ。私のように、問われて初めて考えるより、きっとうまくいきますよ、と。

★リーダー

「どんな学校にしたいか」という妻からの問いは、やはり校長になるので聞かれたのだと思います。20代の教員からも、同じ問いを投げかけられたことを覚えています。してみると、校長とは、リーダーということになりますね。どのような組織、どのような学校にしたいのかを明示し、組織の成員（生徒や教員など）に期待する方向性を示唆《しさ》するという、重要な仕事です。

もちろん、リーダーといっても、私の場合は、学園からその役割を任されている範囲内でのことに過ぎません。それでも、組織のビジョンをつくり、その成果が数字を含めて、内外に信任され、オープンにされるということは、潔く、やりがいのある仕事だと思いました。マネジメントが本業と心得ていた時期とは異なるマインドセット（心構え）が頭をもたげた気分でした。

そして、そのときに浮かんだ言葉が、「知的で開放的な広場」です。

「広場」とは、さまざまなオピニオン（意見）が行き交う状況であり、活気あふれる現場です。そこでは、身分や階層などの出自《しゅつじ》や地位は問われません。であるとともに、その自由性を尊重した振る舞いが期待されます。

「開放的」とは、失敗を隠そうとしないという意味です。挑戦しようとすれば、失敗の可能性は高まり、失敗をおそれれば、挑戦しようとしなくなる……。そうした負の連鎖から解放されるには、失敗してもいいという風土にすると宣言することが大切です。「開放的」とは、すなわち「知的」であろうとする条件だと思います。

能天気《のうてんき》なストーリーだとも思いましたが、校長になることによって、どんな学校にしたいかを、自分の言葉で表せるチャンスが到来《とうらい》したと思うことにしました。

★抽象的な言葉

つくったものが、みんなのものになるのが、嬉《うれ》しいです。

「知的で開放的な広場」を、Yahoo!やGoogleで検索してみてください。最初に出てくるのが、私です。と、自虐《じぎゃく》交じりで話していた時期がありました。

ほどなく、中学校で生徒会役員選挙立候補者の立会《たちあい》演説会がありました。ある中学1年生の生徒が、「この学校は、「知的で開放的な広場」ですから……」と言うのが耳に飛び込んできました。驚きました。そして何より、嬉しかったです。私の言葉を、入学して間もない生徒が使ってくれた。言葉が、私だけのものではなく、この学校のものになったような気がして、とても嬉しかった。

そもそも、「どんな学校にしたいか」という問いに対して、例えば、「時間厳守」や「遅刻厳禁」みたいな、超具体的なことをこたえてしまうと、そこに解釈の余地《よち》はなくなります。言葉がみんなのものになるためには、抽象的であることが必要だと思います。抽象的であれば、そこに使い手の解釈の自由が発揮され、使い手それぞれが独自の意味や思いをもって取り扱ってくれるのではないか、と思うからです。

もちろん、作り手の意図を超えた意味をもつに至ったり、作り手からすれば誤解だと思われることもあるでしょう。それらを含めて、対話を通して、言葉を共有するということは、相互理解というダイナミックな要素を含んでいるので、楽しいです。

★草野球少年

「知的で開放的な広場」のプレイヤーは生徒、教員はコーチ、保護者はサポーター、OBとOGは一肌脱いでくれる兄貴と姉貴と、登場人物の役割を内外に紹介しているのですが、この「広場」というイメージは、私のなかでは、自分の小学生時代を振り返ってのことかもしれないと、ときどき、思います。私は草野球少年で、いまで言う「プレイングマネージャー」でした。

野球の技術に秀《ひい》でているわけではなかったのですが、戦術的なものの見方が好きで、野球知識もあったほうだったので、草野球をしようよと仲間に呼びかけ、集った同級生たちに守備位置や打順を割り振ったり、隣の小学校まで自転車をとばしてマッチメイクしてきたりということをしていました。

小学校の5、6年生でそんな経験ができたのは、大人の監督がいなかったからです。これは、今になって思えばラッキーでした。小学生で、好きな草野球のマネジメントの経験を積むことができたからです。そして、当時は、自分がしていることが、そんな貴重な経験だとは気がつきませんでした。

それよりも、楽しいながらも、「苦労」も味わったという思いをもっています。同級生である私が、ポジションや打順など、選手一人ひとりの「格付け」をするわけです。当然、レギュラーではない存在も必要ですから、本人には補欠選手であることを伝えなければなりません。その気まずさや相手から見たときの公平感への配慮等は、当事者でなければ実感できない「苦労」です。

とはいえ、チームをつくっていくという経験ができたことは、当時の仲間たちの優しさや温かさのおかげです。同じ目的をもって、問題があってもオープンに共有し、ともに改善をはかろうとする組織をつくっていこうとしたとき、私の少年時代の「学習歴」が、意識の土台にあったと、あらためて思います。

2 高校生は、「自己ベストの更新」を目指そう！

★始業式と終業式

日本の学校は、一般的に学期ごとに始業式と終業式があります。その度ごとに、「校長講話」のようなものがルーティーン(お決まりの慣習)のように位置づけられているのも、一般的です。

私がこのことに気づいたのは、校長になって最初に1学期の始業式の「式次第《しきしだい》」を見たときです。これは、気まずい。と、思いました。

私は子どもの頃、一般的な学校に通っていたので、小学校から高等学校まで、3学期制を繰り返される度に、始業式と終業式を経験してきました。というか、きたはずです。ということは、年間６回×12年間＝72回ほど、ときの校長先生のお話を聞いてきたはずです。が、その内容については、まったく記憶にございませんというのが、事実です。おそらく、それは、かなり多くの子どもたちにとってもまた事実ではないかという確信さえありました。

そこで私が考えたのは、生徒たちが前を向いて聞く姿勢をみせる式にしたいということです。そのためには、私からの思いつきのメッセージを伝えるのではなく、例えば生徒会長から学期のポイントや総括《そうかつ》を直接伝えてもらうやり方に変えようと決めました。そのようなやり方に変えたところ、歴代の生徒会長たちは、みんな気立てがよくて、自分の役割を立派に果たしてくれ、場を成り立たせてくれています。

とはいえ、「校長先生も何かやってください！」という真面目な生徒の声も聞き、舞台の袖でのんびりと様子を見ているだけというわけにもいかず、最後に登壇《とうだん》して短い話をすることになりました。

勤務している学校は、中学生と高校生とを分けて、それぞれに式を行うというスタイルです。私が高校生に話すことは、毎度ひとつです。

「君たちは、自己ベストの更新《こうしん》をしようとしているかな？　したと言えるかな？」

です。

私にとって、このメッセージなら、誰に対しても、気まずくありません。

もちろん、語る私の高校時代に誇れる実績はありません。であるからこその、心を込めたつもりのメッセージです。

★高校生に伝えたいこと

高校時代に、これも日本独特の皆勤賞《かいきんしょう》にあたる、無遅刻・無早退・無欠席を成《な》し遂《と》げる生徒は、尊敬してしまいます。部活のキャプテンも、人望《じんぼう》のなせるわざと推察《すいさつ》します。学級委員長も、しかりだろうと思います。そんな高校生ではなかったわが身を振り返ると、彼らや彼女らは、まぶしい限りです。

ところで、そういう経験ができる高校生は、一部に過ぎません。多くの高校生は、そういう生徒に対して、あるいは、学校や教員というものに対して、複雑な感情をもちながら、学校の秩序を受け入れながら過ごしているのだと思います。

「学校っておかしくね？」「先生はオレの名前も覚えてないのに……」「私の話を聞こうとしないのに……」という、エリートとは認められていない感からの自意識をもつ生徒が少なくないのが、高校生というものかもしれません。

彼ら彼女らは、ありのままの自分を理解してくれる大人を待っているのではないでしょうか。いい教員とは、生徒の本音《ほんね》・弱音《よわね》・愚痴《ぐち》を受け入れられる大人なのだと思います。もちろんその前に、高校生の生徒は「この大人には、私の弱みを見せられるだろうか」という葛《かっ》藤《とう》を経て、おなかを見せるかどうか決めるでしょうから、いい教員になるのはたいへんなことだと思います。

そこで、です。私が高校生に言いたいことは、

「他人と比べられたり、比べる必要はない」

「他人と比べられても、気にする必要はない」

ということです。これは、日本社会を覆《おお》っている空気の問題なのかもしれませんが、相対評《そうたいひょう》価《か》に対する感度が、敏感すぎると、私は思います。年少のときから、それぞれの個性を尊重した多様な評価がなければ、生きにくい社会になってしまいます。そのことをおそれます。

だからこそ、間近で見守っている生徒たちに送る言葉は、他人との比較ではなく自分自身と向き合った結果としての「自己ベストの更新」なのです。

★絶対評価

私は、生徒一人ひとりに自分を誇らしく思える高校生になってほしいと願っています。誇りとは、他人からの作用もあるとは思いますが、結局は自己評価だと思います。そのとき、有限な存在である自分自身が、何をもって成り立つのか。自分として、自分のベストを尽くそうとしたのだという実感以外、誇りをもって生きる根拠はないと思います。

自己評価とは、もちろん、絶対評価。他人と比べてどうかという次元ではありません。自分の感性、体力、良心との対話です。

面白いのは、高校生たちに、「君たちは自己ベストの更新を目指したかな?」と、終業式で尋ねて挙手《きょしゅ》してもらうと、ほとんど手が挙《あ》がらないことです。当然です。無邪気《むじゃき》さが消えつつあるこのお年頃で挙手できるのは、本当にスゴイ子か、私から突っ込んでほしい子です。

絶対評価は、高校生たち一人ひとりの心のなかにあります。それを「特別に教えてあげるよ、あなたにならね」と教えてくれる場面を心待ちにして、一人ひとりの教員は、今日も、教員をしていると思います。

3 中学生には、「自己肯定感」をもってほしい！

★中高一貫校のイメージ

健全な高校生＝「自己ベストの更新」を目指そうとする生徒、否《いな》、青年。としたときに、青年になるための準備が必要です。自己肯定感《じここうていかん》なくして、自己ベストの更新マインドセットはありませんから。

そもそも、自己肯定感は、どこから生まれるのか。これは、私には確信があります。「好きなことを、好きなようにやって、手応《てごた》えを感じたところ」からです。そんな体験、それが、「学習歴」です。高校生に先立つ中学生時代に大切なことは、「明るく、楽しく、一生懸命」に、過ごすことです。自然体でそれが自分のスタイルとなれば、自分に自信がつくし、よって自己肯定感が育《はぐく》まれると思います。

問題は、そういう場を、どのようにして学校がつくるかということです。

私立中高一貫校というと、効率よく大学受験に対応するサービス機関というイメージがあることは理解しています。生徒が本気で希望していれば、当然、親身になって応援することになります。しかし、それは、中高一貫校の終盤の局面です。それよりもそこに至るまでのプロセスこそが、大切です。

中学生のときに、「自分のアイデアを、承認してもらえた」「他者のアイデアを積極的に承認できる経験を得た」「ここで、仲間や教員と過ごす意味を見つけることができた」。そういう場を、学校がつくることができるかということが、より重要です。

学校で一番長く過ごす時間は、授業です。だから、そういう実感をもてる授業をつくろうという思いでスタートしたのが、本校オリジナルの「アクティブラーニング」である、教科「理数インター」です。内容については、第２章でも紹介しますが、ここでは中学校全学年にこの新しい教科を導入するに至るまでの、職員会議のやり取りをお伝えします。

「３年間のカリキュラムとシラバスを見せてほしい」「授業科目に新たに入れるということ

は、今ある教科の時間を削《けず》ることになる。削れるような不必要な授業は、ひとつもない」……。

進学校の教員としての、意気やよしです。得体のしれない教科「理数インター」へ警戒心をもったのでしょう。でも、当時校長1年生だった私の回答は、シンプルでした。

「中学生に、この授業が一番面白いと、言わせてほしい」

「そのためには、教室仕様や授業ルールを変えていい」

「そもそも、生徒が英語や数学が好きになるのは、その先生を好きになるからであって、その前提として通っている学校が面白いからなので、その動線をみずから工夫してつくることのほうが大切だ」

校長もいい加減ですが、それを救ってくれたのは、そんな私の思いに応じてくれた教員がいたことと、生徒の反応です。生徒が、教科「理数インター」を楽しいと感じてくれ、それを見た教員が肯定的に意見を転じてくれたことで、私の中高一貫校イメージは、能天気ながら、成り立たせていただいています。

★中学受験の意味

そもそも、この本を書く話を聞いたとき、こんなにフツーの話をすることに、読者の需要はあるのだろうかと、迷いました。中学校や高等学校の話といえば、生徒にとっても教員にとっても深刻な話題が多く、問題が表に出ないまま進行しているというブラックボックスかのような取り上げ方が、ほとんどの気がしていたからです。

もちろん、深刻な問題は、日常に起きていると思います。学校は、社会の一部です。社会にある問題は、学校にもあると思います。その問題を、最前線で感じている現場の教員や、どうすればいいか困っている生徒や保護者がいるというのも、日常にあることだと思います。

それらのことを覆ってまで話したいことがあるわけではありません。しかし、それだけが学校現場ではないことは、話したいと思います。

中学校・高等学校というところは、発展途上の子どもたちや青年たちが、葛藤している現場です。であればこそ、彼ら彼女らの将来と時代に期待して、率直に対話するチャンスを生かす学校や教員でありたいと思います。

私の勤務校は、東京の私立です。中学校は義務教育ですので、受験しなくても、公立の中学校に行くことは保障されています。わざわざ中学受験を、わが子にさせているご家庭のおかげで、中学受験という世界は成り立っているともいえます。

私は、勉強よりも野球に夢中でしたし、中学受験という選択肢がない地方と環境に育ったので、あらためて、この意味を捉《とら》えなおしてみることが必要でした。もちろん、校長になって、自分のなすべきことを考えてみようと思ってからのことでしたが……。

★ 12歳の受験生

教育熱心な層が多いと言われる東京の23区内でさえ、中学受験をする家庭は、少数派です。

そもそも、12歳で、子どもの何かが決まるわけではありません。中学受験をするということは、一定の条件を満たしたご家庭にできるチャレンジの機会で、うらやましいことではないでしょうか。むしろ、失敗上等！　なのではないでしょうか。一生懸命がんばることの大切さ、にもかかわらず、第一志望に合格できるとは限らない現実に対する、リアリティと愛おしさを共有するための中学受験にしてほしいと思います。

のんきなことを言っていると思われているだろう私も、中学受験を支援できる方法を、こう見えても考えています。そもそも、12歳を、ひとつの「もの差し」ではかるという発想を変えました。

従来、中学受験科目とは、算数・国語・理科・社会の4科目が伝統的なスタイルでした。今世紀に入ってから、公立中高一貫校が誕生し、適性検査型入試が行われるようになりました。こうした入試方法に対応する力を身につけるために、学習塾にかよう小学生がいます。私も、学習塾で授業をしていたので、子どもたちのたいへんさと健気さ、保護者の切ない思いは、知っているつもりです。

一方、それだけが、12歳の「学習歴」だろうか、と思う私がいます。子どもが自分でつくりだした「学習歴」を、まっすぐに評価してくれる学校があったら、嬉しいと思う受験生やご家庭は、たくさんあるはずだと思います。であれば、その入試を設定してみようと思いました。

結果、現在10種類の入試方法を実施している中学校となり、「日本一入試方法の多い中学校」を自認しています。特に、オンリーワンの「学習歴」を、「聞いて、聞いて、聞いて！」と語る12歳にめぐり会いたいからつくりだした、「プレゼンテーション型入試」があります。もし自分が12歳でそんな入試があったら、そして、「この入試方法は君に向いているね」と背中を押してくれる人がいたら、受けさせてほしいと親にうったえたかもしれないと思います。

もちろん、私のような不見識《ふけんしき》な校長のせいで、合格をもらえなかったかもしれません。でも、それも事実、それも人生です。

チャレンジしなければ、結果はないし、結果について考える成長のステップや葛藤もありません。だから、私は、プレゼンテーションのチャンスを、マイクを握るチャンスを、せめてご縁のあった子どもたちに、提供したいと思っています。

4 しくじり先生として、「君たちはどう生きるか」を問う！

★そもそも道徳とは

２０１９年度より、中学校では、「道徳」の時間が「特別の教科　道徳」となりました。どう向き合うのが、「知的で開放的な広場」として、ふさわしいだろうか。このように考えました。

私と生徒の仮想問答です。

私　道徳とは、すなわち、ことの是非《ぜひ》や善悪を決める規範《きはん》のことである。それは、誰が決めるのか？　君たちの保護者ですか？　それとも学校の教員ですか？　いいえ。君たち自身が決めるのです。準備はいいですか？

生徒　え〜。自信な〜い……。

私　どうしてかな？

生徒　だって、知識や経験が、まだあんまりないから……。

私　知識をとおして知恵を身につけるために、勉強が必要だということになるね。じゃあ、もっと勉強しよう。自分たちで企画して、実行して、総括《そうかつ》する体験をとおして、自信が身につくね。だから、生徒主体の学校行事や授業が必要だということになるね。じゃあ、失敗をおそれずに、やってみようか！

生徒　（　　）

道徳とは、座学の勉強と、体験型の学校行事の意味をどちらも肯定してくれるという意味で、「特別の教科」なのではないかと思いました。

仮想問答の生徒の（　　）というのは、どんな反応があるのかは、やってみないとわからないからです。生徒個々の温度差もあるでしょうし。

★しくじり先生

「失敗してもいいから、挑戦してみよう！」
「君たちの年代に、取り返しのつかない失敗なんてない」
「挑戦なくして成長なし！」

と、生徒の成長段階に対応した「なぐさめ、はげまし、きたえる」方法が、中学生には必要だと私は思っています。いや、高校生にも、大人になってからも、大切なことだと思っています。

でもそういう言葉を聞いたとき、生徒が、内心、どう感じているだろうか、ということも気になります。言っている私が、失敗を隠したり、挑戦をひるんでいたら、言葉のリアリティは失われるでしょう。

ということは、「先生」というのは、生徒にとっては、「しくじり名人」みたいな雰囲気や空気感をもっていることが大切なのではないかと、私は本気で思っています。

「しくじり名人」というのは、現状に甘んじることなく、高い目標を掲げて果敢《かかん》に挑戦するのだけれど、目標が身の丈に合わないので、結果は残念なことがよくある。でも、懲《こ》りないし、めげない。失敗に鈍感《どんかん》というか耐性がある。そういう「名人」です。

★「君たちはどう生きるか」

そんな「先生」が、道徳を語る。リアリティと共感があふれる教室になるのではないでしょうか。

人は自慢話よりも失敗談に興味を示すものだし、まして世間的に「目上」の存在とされている人間から、「ここだけの話」の失敗談が聞けるなんて、まさに「特別の教科」だと思いませんか。

道徳とは、表現を変えれば、「君たちはどう生きるか」ということだと思います。こんなタイトルの古典的名著といわれる本があることは、読者のみなさんはご存じでしょうか？　２０１７年に、この本の漫画版がベストセラーになり、それに連動して原作も新しい読者を獲得したようです。

原作は、1937年に刊行されたので、あらためてスポットライトが当たったのは、80年ぶりということになります。

実は、私にとっても、この本は重要な意味をもっています。「まえがき」でも触れたように、私は修士論文をクリアできず、大学院を除籍《じょせき》になったのですが、その修士論文のテーマは、この本の著者である「吉野源三郎《よしのげんざぶろう》」だったのです。

研究者のなりそこないの私が言うのもおかしいですが、吉野源三郎にとって、この『君たちはどう生きるか』とその数年前に書いたアメリカの大統領リンカーンの伝記は、彼が「しくじり名人」として再生していく契機になった本だと、私は思っています。

吉野の、これらの本を読んだ方には思い当たる話ですが、お坊ちゃん「コペルくん」の失敗談や葛藤、「アメリカンデモクラシーの体現者」なんだけど要領がいいとは思えないリンカーンの人生は、明らかに、苦労人の筆致《ひっち》がものするものです。温かみがあります。人生の前半生でしくじった人が、後半生に自分の思いを託すという書きぶりです。その方法を信じることが、自身の再生の途《みち》でもあると確信したかった思いが、これらの本の命脈になっていると思います。

いやいや……。吉野源三郎を語ろうとすると、熱くなってしまいます。断定的に話すのは、いけません。対話のスタイルではありませんね。

この節で、私が言いたかったのは、「失敗してもいい」というからには、失敗した(今もしている)私たち教員が、「それも人生だ」、否、「それが人生だ」と語り、未来を生きる少年少女に、勇気を渡そうよ、ということです。

5 「学ぶ」ってどんなこと？　自分で感じ、考えることからはじまるのかもしれない！

★フィンランド

「歴史って、何の役に立つんですか？」と、ある雑談会のなかで、高校生に、ふと、尋ねられました。受験勉強のため以外に。もちろん、理解できます。終わってしまったことに対しては、今から働きかけることもできないし、他ならぬ自分と何の関係があるのか？　ということだと思います。

でも、歴史を知ることで、ある出来事が納得できることもあります。

例えば、フィンランド。世界最年少の、そして女性の首相が２０１９年に誕生した北欧の国です。どうして、そういうフレッシュでチャレンジングなことができるんでしょうか。

フィンランドといえば、子どもの主体性を生かそうとする教育で有名です。機会があって、2019年に1週間ほど、訪問してきました。例えば、幼稚園を訪問して驚いたのは、カリキュラムを、幼稚園長が、園児と対話して決めるというルーティーンです。

森に行きたいという園児の声をどの日に落とし込むかという調整を、天気予報を見ながら、園長が決めるのです。生徒主体をルーティーンにしたい私も、これほどの関係性を幼稚園児とつくれる園長先生や先生たちがうらやましくなりました。

リスクはありますよね。雨の日とか。という質問には、「けがもありますが、外で遊ぶことが大切です」と言い切る園長先生は、格好いい。

★フィンランドの歴史

なんで、こんなに自由な教育に対して、確信があるのか。自分で決めるということに対する確信です。フィンランド人とコミュニケーションするといっても、私はつたない英語しか話せないので、いわゆる機微まで突っ込めない状態でもありました。

その後、いろいろな人と話しているうちにふと、合点した気になりました。フィンランドは、複数の国に、侵略された歴史を忘れていない。大昔は、スウェーデン。20世紀は、ソ連かナチスドイツと、究極の選択を迫られたという経験を味わったからなんだろうなと。

つまり、「自分で決める」というフィンランドの人々の共通認識は、大国に支配されるという状況のなかでなんとかして自分自身を保とうとしてきた歴史から見れば、当然のことなのだと思います。歴史が説得力をもつという経験をしました。

★答えのない学び

自分で決めるという教育は、つらい歴史を乗り越えた民族性というのか、国民性というのか、経験をへてきた歴史がバックグラウンドにあるのだということに気づきました。答えは、他人にゆだねるのではなく、自分で探すのです。おそらくベストはありません。ベターを。

このように過去の歴史を学ぶことは、今のフィンランドを理解するうえで、必要だったと思います。ひるがえって、「答えのない学び」というのは、そういうことではないでしょうか。

これから進むべき道を決断するためには、過去の歴史も知っていたほうがベターだよ。たとえ、今すぐに役立つものでないとしても、知識が知恵になっていく機会を、学校はたくさん準備しているんだよと、構えていたいものです。そのためには、リアリティです。楽しさです。その感性を磨くことを、私たち教員が怠らなければ、知識を新鮮なものとして、後の世代に伝えることができるのではないかと思います。

そうです。「おじさん」が、「コペルくん」に語ったように。そもそも、どんな「学び」が役に立つかどうかは、生徒たちそれぞれがその後の人生を体験していくなかで、考え、感じるものだと思います。

★「挑戦なくして成長なし！」を信じ合える関係

私の言いたいことは、失敗してもいいから挑戦してみようよ！という言葉を、信用してみようか、やってみようかと思う若者に、どうしたら登場してもらえるか、ということです。

未来ある子どもたちにとっては、理解のある大人に、失敗しても、なぐさめてもらえる、はげましてもらえる、もう一度チャンスがもらえる、という保障が必要なのだと思います。つまり、年長者のほうの、懐《ふところ》の深さが問われているということです。以前から成功体験を積み上げてきて、若者の「失敗ぶり」が信じられないという大人は、この関係性のつくり方は、得意ではないのだと思います。

失敗を重ねても、家族には世間と違う目で見てもらい、社会でも共感してくれた人や理解者に出会えたことが、無邪気な子どもの頃とはまた異なる、自己肯定感を回復する原動力となる。そんな経験をした私が、「挑戦なくして成長なし！」と言っているのですから、失敗の可能性の高いみんなも、大丈夫！　うまくいかなければ、愚痴をこぼしに、学校に戻って来たらいいと思います。

そもそも、中学生や高校生たちが本音を言えない相手の言うことを聞くはずもないので、教員たちのことを本音を言える相手と感じたら、いつでもなんでもぶつけに来てほしいと思います。そういう年長者と若者との関係性こそ、私のイメージする学校、「知的で開放的な広場」です。つまり、「しくじりＯＫ広場」です。

失敗ＯＫ！
しくじりＯＫ！

さあ、やってみようよ！

第2章

ゆかいな仲間たちの楽しい学び

Ｉ　フツーの学校の楽しい学び

右田邦雄（副校長）

★論理的に考え、分かりやすく伝える力ってどんな力？

みなさん、こんにちは。宝仙学園共学部理数インターの右田《みぎた》邦雄《くにお》です。

「理数インター」って変わった名前ですよね。この名前を聞いて、みなさんの頭にはどんな学校のイメージが浮かびますか。

「理科や数学に力を入れている学校」
「外国人の生徒がたくさんいる、国際色豊かな学校」
「理科の実験や数学の授業も英語でやるような学校」

学校を見学に来る人たちは、こんなイメージをもって来られるようです。じゃあ、実際はどんな学校かというと、これのどれにも当てはまりません。理科や数学に特別力を入れているわけでもなければ、インターナショナル校でもありません。ごくフツーの学校なんです。ではなぜ「理数インター」なんて名前をつけたかというと、これにはワケがあります。まずはそのお話をしましょう。

みなさんは「論理的思考力」という言葉を聞いたことがありますか。論理的思考力？　ちょっとムズカシク聞こえますよね。これはどんなときに使う力かというと、例えば人に何かを説明するときなどです。

みなさんがクラスで遠足の目的地を決めているとしましょう。ある人から「山に行こう」という意見が出たとします。おそらく多くの人は、「え〜、登山でもするの？　大変そうでいやだなあ」と思うでしょう。でも、その人がこんなふうに続けて発言したらどう思うでしょう。

「都会にいるとなかなか自然に触れる機会がありません。この前ニュースで見たのですが、近くの○○山の紅葉がいまちょうど見頃で、展望台から都心を背景に紅葉の写真を撮ると、すごくインスタ映《ば》えするそうです。展望台までは30分程度のハイキングで着くので、受験勉強でなまった身体を動かすにはもってこいです」

どうでしょう。少しは山に行ってもいいかな、という気持ちになると思いませんか。少なくとも、ただ「山に行こう。とにかく山はいいからさ」とだけ言われるよりは、よっぽど相手の話を聞いてみようという気になりますよね。

人に何かを説明するときは、聞いている相手がなるほどな、と思う言葉でなければいけません。そのためには、相手がどんなことを知りたがっているのか、あるいはどんな心配をしているのかを想定して考えることが大事です。

「展望台からの景色がインスタ映えする」、というのは相手にとって有益な情報でしょうし、登山なんて大変だ、と思っている相手には、「短時間で、しかもハイキング程度でいい運動になる」という説明は効果的かもしれません。

このように、聞いている人が「なるほど」、と思える説明を「論理的だ」、と言い、ものごとを筋道立てて考えられるチカラを「論理的思考力」と言います。「論理的思考力」は数学のロジック（考え方）に通じる部分が多いので、数学的思考力とか、理数的思考力と呼ばれることもあります。

実は「理数インター」の「理数」はこのチカラに由来します。生徒がしっかりと理数的思考力を育てられるように、という学校の考えが示されているのです。

では理数インターの「インター」は何か、という話をするためにも、もう少し「論理的思考力」の話を続けさせてください。

★●★

こんな例を考えてみましょう。ある日本のプロ野球チームの主力外国人選手が、祖国に残した奥さんが出産をするので一時帰国したい、と要望しました。ところが、監督はチームが優勝争いをしている大事な時期に試合から離れるとは何事か、とその選手の帰国を認めませんでした。結局、その選手は弁護士を通して球団を説得し、奥さんの出産に立ち会ったのですが、ファンのなかにも選手の態度を批判する声が上がりました。

選手と監督の見解の相違はどこから生まれたのでしょうか。

選手は自分の奥さんを心配し、大事なときだから側にいてあげたい、と考えました。つまり、「家族の問題は自分の仕事の問題よりも優先する」、という価値観をもっていました。それに対し、日本人の監督やファンは、「プロであれば自分の仕事をきちんと遂行することが何よりも大事。プライベートな問題は二の次だ」という考えをもっていました。

★ ● ★

このようなとき、まず問題は何かを整理することが必要です。この例でいえば、選手・監督双方に価値観の違いがある、という点です。次にその違いの原因を、それぞれの立場に置き換えて考えてみる視点が大切です。例えば監督であれば選手の立場になって想像してみるのです。

なぜ選手は試合を放り出してでも国に帰りたいのだろう。きっと彼は家族を大切にする文化のなかで育ったに違いない。でも、日本ではこれまで、自分の都合よりも仕事を優先することが当たり前とされてきた。そうか、互いの文化で何を大事にするかが違うのか。彼にはそれを伝えなきゃいけないな。

「君の家族思いの気持ちはよく分かった。奥さんのもとへ戻って安心させておいで。無事出産したら、またチームに合流して活躍してほしい」
監督がこんなふうに話をしたら、選手だって意気に感じて、できるだけ早く戻ってこようと思ったかもしれません。

このように、問題点を整理し、異なった視点でものごとを見て、相手が納得するように筋道立てて説明する力こそが論理的思考力なのです。これはいまの社会で最も必要とされる力のひとつであると言われます。なぜなら、いまの世の中は急速に多様化が進んでいるからです。多様化とはさまざまな考えをもつ人同士が交わることを言いますが、このこと自体は社会を活性化する一方、さまざまな問題の原因ともなります。日本の社会で急増する外国人の人たちとのトラブルもその一例です。そのような社会において、異なる価値観を理解したうえで、ものごとを論理的に考えられる人材は貴重な存在なのです。

先ほどの野球チームの例のように、国籍や性別、育った環境など、背景の異なる人同士が交わるような場では、論理的思考力が威力を発揮します。自分と、異なった考えをもつ相手とを結びつけてくれる力となるからです。人と人とがつながることを英語では"interaction"(インターアクション)と言いますが、この言葉、聞いたことがありますか?

理数インターの「インター」は、実はこの「インターアクション」を意味しているのです。

ここまで長々と話を続けてきたのは、「理数インター」ってどんな学校だろう、ということをみなさんに分かってもらうためには、名前にこめられた意味を理解してもらうのが一番だと思ったからです。

ここまでの話をまとめるとこんな感じになります。

「ものごとを論理的に考え、それを相手に分かりやすく自分の言葉で伝えられる人に育ってほしい」――こんな考えをもった学校なんです。

★人前で話すことへの抵抗感をなくす

自分の考えを分かりやすく人に伝える、とひと口に言っても、言うは易《やす》く行うは難《かた》し、です。特に隣の席の友だちに話すならまだしも、大勢の人の前で話すとなると、苦手な人はたくさんいますよね。誰もはじめから上手に話せる人などいません。そうなるためには人前で話すトレーニングを重ねる必要があります。

理数インターでは、できるだけ生徒が自分の考えを発言する機会をもつように工夫しています。毎日の授業のなかでも、グループで意見を出し合ったり、まとまった意見を発表する機会は多くあります。

例えば英語の授業では、中学1年生から人の前で話すトレーニングを始めます。教科書の本文を覚えて、クラスの前で音読することはその第一歩です。次に自分の身のまわりのものを相手に見せながら英語で説明する'Show and Tell'という活動が始まります。さらに、自分の大事にしているものを相手に紹介する'My Treasure'(私の宝物)という1分間スピーチは、中学生が取り組むプレゼンテーションコンテストの中学1年生の定番のお題です。

プレゼンテーションコンテストは英語科が中心となって毎年行っている行事ですが、スピーチコンテストと違うのは、「プレゼン力」が試される点です。聴衆に話しかけるだけではなく、実物を見せたり、画面一杯に映像を映したり、ときにジェスチャーを交えながら行うのが特徴です。

中学1年生は決められたテーマについてプレゼンするだけでなく、全員が英語劇(スキット）に取り組むのも見どころのひとつです。“Fly Soup”というレストランを舞台にした短いスキットで、５〜６人をひとつのグループにして競います。客の１人がスープにハエが入っている、と言い張って無銭飲食しようとするストーリーですが、最後に悪企《わるだく》みがばれてしまう場面がハイライトです。どのグループも決められた台本をもとに台詞《せりふ》を覚え、ジェスチャーを交えながら演じます。

面白いのは、グループごとにエンディングの部分を少しずつ変え、自分たちの脚本でスキットを締めくくるところです。英語を習いたての中学生が、一生懸命感情豊かに表現しようと熱演する様はほほえましく、毎年笑いを誘います。演劇を通して表現活動をすることは、英語を身体ごと覚える貴重な体験ですが、このような経験を重ねることによって、少しずつ人前で話すことへの抵抗感がなくなっていくのです。

実際の状況に置き換えて英語を使ってみる練習はアクティブラーニングなどと呼ばれたりもしますが、何も特別なことをしているわけではありません。実はこういった活動は「言語活動」と言われ、昔から授業のなかで実践されてきたものです。

言うまでもなく英語は世界の共通語であり、みなさんと世界をつなげる「道具」です。将来、日本語だけでなく英語を使って自分の考えを伝える場面もきっとあるはずです。「言語活動」はそんな場面に向けてのトレーニングです。理数インターではこういった言語活動を中1から始め、毎年学年の終わりにはプレゼンテーションコンテストとして成果を発表しています。そして、その集大成と言えるのが高校2年で実施しているアメリカ研修です。

★●★

毎年6月、高校2年生がアメリカへ向けて出発します。1週間の日程でサンフランシスコ周辺を巡るのですが、ハイライトは代表生徒によるプレゼン発表です。サンフランシスコの南にはシリコンバレーと呼ばれる地域が広がります。スタンフォード大学や、GoogleやAppleといったIT企業が多く集まるこの地で、現地のゲストスピーカーを相手に英語でプレゼンを聞いてもらおうという取り組みです。

実はこれにさかのぼること半年以上前から、生徒たち全員がプレゼンの準備を行います。テーマは自由。自分が伝えたいことをプレゼンします。資料を集めたり、英語の原稿を書いたり、それを添削してもらったり。そうして準備をしたのちに、高校1年生の最後にプレゼンコンテストを迎えます。聞き手は東京で学ぶ外国人留学生たち。国籍はさまざまで十数か国に及びます。

生徒たちは必死に覚えた英語を駆使《くし》し、留学生たちに語りかけます。自分の趣味について語ったり、日本文化を紹介したり、テーマは多岐にわたります。日本の食文化紹介で、「旨《うま》味《み》(umami)は日本食の本質」と力説した生徒もいます。

ただし、覚えてきた原稿を読むだけでは終わりません。生徒にとっての試練はプレゼンのあとに待っている質疑応答です。ゲストの人たちから聞かれる質問を理解するのがまず一苦労。なかには鋭いボールを投げられる場合もあります。

「旨味の話は分かった。ところで旨味とコクは同じ成分なのか？」

今度はそれに自分の英語で答えなければいけません。用意してきた原稿を読むのとは違って、四苦八苦しながら頭に浮かんだ英語をつなげて、意思疎通《いしそつう》を図ろうとします。

実はこのプロセスこそが生徒たちに体験してほしい、最たるものなのです。相手が納得するように筋道立てて説明しても、必ずしも分かってもらえるとは限りません。コミュニケーションがうまく進まないときに、いかにそこから抜け出せるか。それこそが本当のコミュニケーション能力だと思うからです。

★本当のコミュニケーション能力はどこででも鍛えられる？

ただ、本当のコミュニケーション能力は授業のなかだけでなく、日常のあらゆる場面で鍛えるべきものではないでしょうか。

毎日の会話だってそうです。朝、遅刻をした理由を先生に聞かれ、「遅延《ちえん》」とだけ答える生徒がいます。何が遅れたの、と聞くと「電車」。今度は、何線が遅れたの、と聞くと「大江戸線」。最初から「今朝は大江戸線が遅延したので遅刻しました」と言える生徒がどれだけいるでしょう。おそらく家庭でも同様の一単語会話がなされていると思われます。

家族や友人のように、普段多くの情報を共有している相手とであれば、単語一語でも用は足りるのです。言葉は不要、以心伝心《いしんでんしん》というものです。

ところが自分のことをほとんど知らない相手には、これは通じません。論理的でないからです。限られた、狭い世界の相手との関係から一歩外に出て、見ず知らずの相手と関係性を構築するには論理的なコミュニケーションが不可欠になります。

ですから、朝、学校に着いたときに、先生に遅刻の理由を説明することだって立派なコミュニケーションの訓練なのです。

★●★

学校では年に何回か「学校説明会」が開かれます。この学校を受験しようと考える生徒や保護者の方を招いて、学校の様子を見ていただく機会です。理数インターの説明会が他校と違っているのは、生徒にたくさんの出番があることです。

まず会場の入り口では受付や誘導をする生徒がいます。会の司会進行役も生徒が務めますし、壇上で学校の様子を語るのも生徒です。もちろん教員も一緒にいますが、どちらかというと生徒の発言を引き出す役に徹します。説明会のあとで校舎内やグラウンドを案内するのも生徒の仕事です。

生徒にマイクを渡す、というのはある意味勇気がいることです。せっかく来てくださったお客さんの前で失礼があってはいけませんし、生徒が失敗をしたら、学校に対して良くない印象をもたれてしまうかもしれません。

しかし、だからこそ生徒たちに前に立ってもらうのです。生徒にとっては、人前で話をするというのは貴重な経験なのです。まさに人と人とのインターアクションを通して、コミュニケーションを図る格好のチャンスです。ですから、お客さんには多少のお聞き苦しさや失礼には目をつむってもらい、「理数インター」を実践している生徒を温かい目で見守ってくださいとお願いしています。

★異文化理解とは自分の文化を理解すること

先ほど、理数的思考力は異文化コミュニケーションを進めるうえで必要な力だと話しました。実は学校のなかにも、たくさんの異文化が存在します。年齢が違えば考え方も違うでしょうから、先生と生徒のやりとりも異文化コミュニケーションですし、部活動における先輩と後輩の関係もそうです。男子と女子の間にも異文化は存在しますし、友だち同士だって出身中学や小学校が違えば、当たり前と思っていることが違います。

そう考えると、学校というのは本当に社会の縮図だと言えますね。ですから、学校で生活するなかでさまざまな異文化体験をしていることになるのです。

理数インターは毎年世界中から帰国生を受け入れています。親の仕事の都合で小学校や中学校のある時期まで外国の学校で学んだ生徒たちですが、アメリカやヨーロッパ、アジアの国々だけでなく、南米や南アフリカから帰ってきた生徒もいます。彼らもまたある意味で異文化を学校に運んできてくれる存在です。また最近は帰国生以外にも、中国や韓国からの留学生も受け入れ始めました。それ以外にも短期のホームステイを受け入れたり、１日だけの学校訪問も頻繁《ひんぱん》にありますし、毎年恒例の中国人学生交流会という企画もあります。

なぜ理数インターがこうした生徒たちを歓迎するかといえば、学校に多様性が生まれ、校内で異文化体験が促進され、その結果として生徒たちが視野を広げる経験につながるからです。視野が広がるということはいろんな価値観をもつことにつながります。

放課後に教室を生徒が掃除する風景を見てびっくりする帰国生がいました。海外の学校では生徒が掃除をするという習慣がないからです。不思議そうに眺《なが》める帰国生を見て、掃除をしている生徒たちがそれをまた不思議に眺めながら思うのです。「自分たちの教室を掃除することって当たり前のことじゃないんだ」。

異文化理解とは自分と異なる文化を理解することではなく、自分と異なる文化を見て、自分たちの文化を理解することだ、と実感することがよくあります。外国からの風がそんな体験を運んでくれるのです。

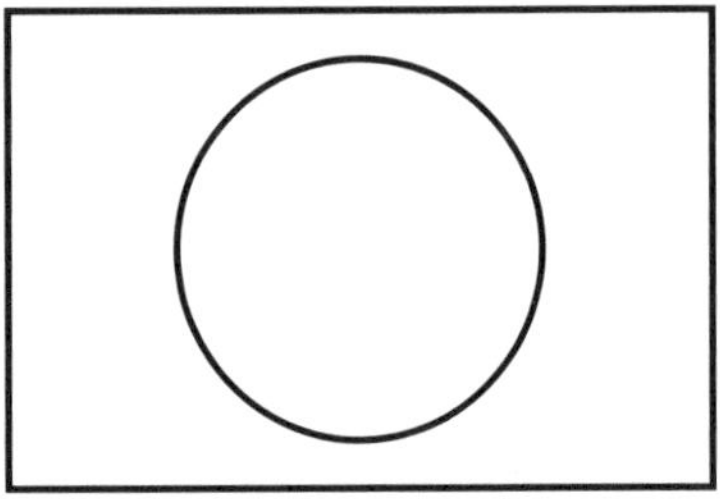

図１

★狭い枠を取り払え！

多様な価値観を身につけるために視野を広げる必要がある、と言いましたが、一体どうすれば視野は広くなるのでしょう。

結論から言えば、自分一人でいくら努力しても視野を広げるには限界があります。自分とは異なった考え方や価値観に触れたとき、初めてわれわれは狭い思考の枠から離れ、より大きな見方ができるようになるのです。

具体例を紹介しましょう。

図２

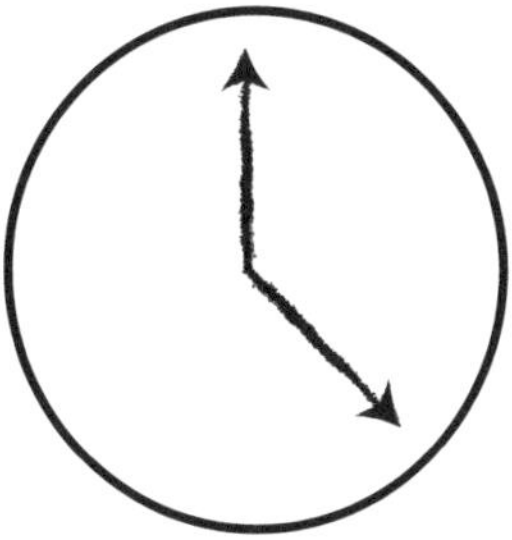

図３

これは私が英語の授業で行った活動です。“What's this?” の質問文とやりとりを習ったばかりの中学1年生のクラスです。生徒に白紙を配り、その真ん中に円を描くように指示します（図1）。生徒にはできるだけ手を加えずに、この円を何かに見立ててごらん、と言います。

例えば、円のなかに数字の‘100’を記入した生徒がいました（図2）。

“What's this?” とその生徒がクラスに質問します。

答えが分かった生徒が答えます。

“Is it a coin?” 答えがあっていれば、問題を出した生徒が、“Yes, it is. It's a 100 yen coin.” などと答える、という活動です。

要領を得た生徒たちは、それぞれ自分のアイデアを紙に描き始めます。描けたら隣の席の生徒と問題を出し合います。

図4

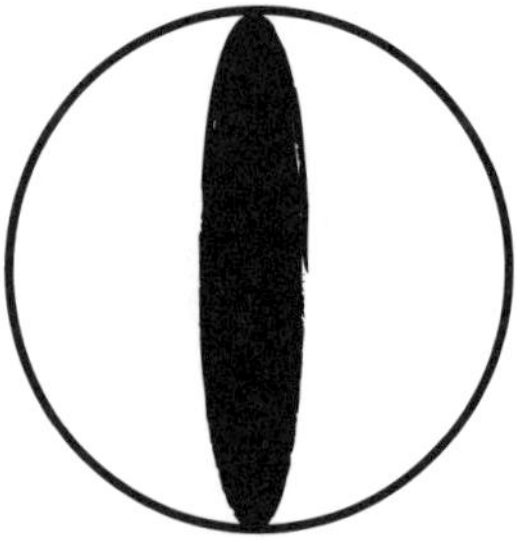
図5

“What’s this?” “Is it a clock?” “Yes, it is. It’s a clock.(図3)”

次々に作品ができあがります。“It’s a ball.(図4)” “It’s an eye.(図5)”……などなど。

なかにはこんな作品がありました(図6)。何だか分かりますか。みなさんも考えてみてください。

“What’s this?”

“Is it a button?” (ボタンかな?)

“No, it isn’t. It’s not a button.”

“Is it a face?” (顔かな?)

“No, it isn’t a face.”

なかなか正解が出ずにいるところで、作者が答えを披露します。

“It’s a sumo ring.” (相撲の土俵だよ)

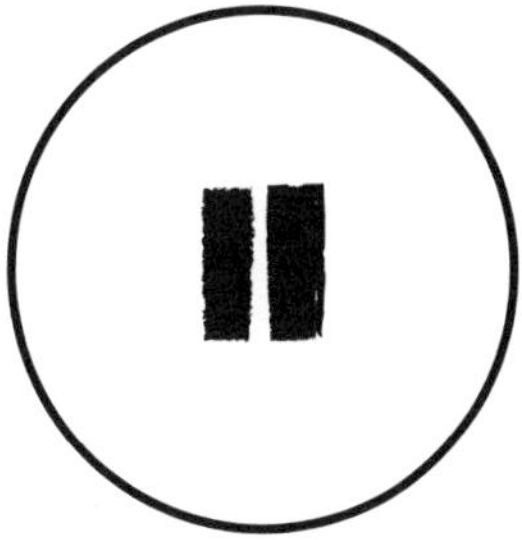

図6

図7

相撲マニアが土俵を上から見たデザインを描いてくれたのでした。

「ああ、なるほど」友だちのアイデアに座布団1枚、といったところです。

実はこの活動で一番教室が盛り上がったのは、ある男子生徒がこんな絵を描いたときでした(図7)。

これにはクラスのみんなが首をひねりました。

ボルトとナットかな？　何かの部品？

しばらく教室が騒然となったところで、その生徒が小声で言いました。

“It's a pencil.”

その瞬間、勘《かん》のいい生徒が「おお！」と声をあげ、それにやや遅れてクラスのみんなも「ああ、そうか！」と気づきました。

鉛筆を上から眺めた絵だったのです。

この生徒のアイデアにみんながどよめいたのは、それまではみんな円の内側に絵を描き加えていたのが、この生徒だけは円の「外側」に絵を描いたからでした。

単純なことのように思えますが、これこそが発想の転換です。

誰もが円の内側に絵を描く、と勝手に思い込んで、自分の思考に枠をはめていたのです。それが、この生徒はその枠をいとも簡単に取り払ってみせたのです。

そうか、それもありなのか！

クラスの友だちの自分にはない発想に触れ、それまで自分が閉じ込められていた枠の存在にはじめて気づいたのです。ブレイクスルーとはまさにこのことで、このときに自分の思考の枠が外れ、「視界が開けた」のです。視野が広がる、とはこのような体験を指すのだと思いました。

★これらの能力をどうやって身につける？

富士校長が、それまでの教科の枠には入らない新しい教科をつくろうと言ったとき、私は真っ先にこの体験が頭に浮かびました。既存《きそん》の枠を壊すためには、まずは異なった考えをぶつけ合い、自分には思いもつかないような発想に触れるのが一番だ、と考えたからです。

「自分のものとは異なるさまざまな考えに触れ、思考の枠を取り払う」

こんなコンセプトを共有してスタートしたのが、教科「理数インター」という授業でした（この活動は実際に授業のなかで日本語でも実践をしてもらいました）。

教科「理数インター」はその後、さまざまな取り組みを経て大きく成長しました。とはいえ、最初にみなさんに言った通り宝仙理数インターはフツーの学校です。当たり前のことをきちんとやるのがフツーの学校です。

ここまで、私たちの学校で行っていることを紹介してきましたが、これらはどこの学校でも、いや、学校でなくても、日々の生活のなかで誰もができることだと思います。

「論理的に考え、正しく相手に伝えること」「コミュニケーション能力を身につけること」「異文化を理解することを通して自分の文化を理解すること」「狭い枠を取り払って広い視野をもつこと」……これらはどれも今後ますます必要とされる能力です。

これらの能力をどうやって身につけるか。みなさんにヒントを出しておきます。

論理的に考え、正しく相手に伝えるチカラを身につけるには、まず論理的に考えられた文章をたくさん読むことです。自分が読んで、なるほどと思う文章はみなさんに確実に何かが伝わった文章です。そんな文章にたくさん出会い、自分もそれを真似て書いてみることです。

コミュニケーション能力を身につけようとしたり、広い視野をもとうとするなら、いろんな人から話を聞いてみることです。いろんな人、とは自分よりもずっと年上の大人だったり、どこにあるのかも知らない国から来た外国の人かもしれません。

こういったことは、少しばかりの好奇心と自分から扉を開けようとする努力が必要です。しかし、扉の向こうにある世界はその努力に十分に報いてくれるに違いありません。

みなさんなりの方法でチャレンジしてみてください。

●理数インターで学んだこと

飛田祥太（7期生）

3年前の入学式。中等部からそのまま高校へ上がった者、また高校受験を経て、なかには志望校に落ちた失意のうちに仲間に加わった者など、さまざまな心境で迎えたあの日から3年が経ち、私たちはまた大きな節目を迎えようとしています。私たちのこの3年間は「あっという間」と言えるものでは、決してありませんでした。勉強、部活動、行事、友人関係、恋愛、また親子関係など、7期生がそれぞれの課題に挑み、挫折し、学び、成長を積み重ねてきた、意味のある3年間ですから。

私たち7期生はさまざまな面で名をはせた学年でした。良い意味でも、悪い意味でも「理数インター史上初の……」という形容がされる学年だったのではないでしょうか。

中学1年生の頃。教室全体が遊園地でした。床には落とし穴がつくられ、ロッカーからは生徒が宙を飛び、暑くもないのに教室のドアが外される、などということは日常茶飯事でした。小学校7年生とも言われた私たちを、「こんな学年は初めてだ」と先生方は嬉しそうに、実に忍耐強く見守り続けてくださいました。そのおかげで、私たちのなかにまかれた種は「知的で開放的な広場」という土壌でやがて開花していきました。

そのひとつが高校2年時の体育祭です。われわれの代表が、種目案の作成から全体の運営までを取り仕切るようになり、生徒による生徒のための行事が初めて達成できたとの評価を得ました。そのおかげで、普段の体育祭よりも2時間ほど多めに楽しむことができ、大いに顰蹙《ひんしゅく》を買いました。しかし、生徒による体育祭運営は、その後の理数インターのさまざまな行事にも受け継がれていく、史上初の出来事だったのです。

私はこの度、卒業生の代表として門出の言葉を述べる機会を与えられましたが、私は174名の代表に値するような功績は一切残していません。ずば抜けて良い成績を取ったわけでも、部活動で活躍したわけでも、何かの大会で賞を取ったわけでもありません。私はこの大役に選ばれたとき、なぜ自分が選ばれたのか全くわかりませんでした。自分の歩んできた道を振り返り、何日も考え続けた結果、ひとつの答えにたどり着きました。これが先生方の求める答えであるかはわかりませんが、私は最後に、在校生の皆さんにこのことを伝えます。

それは、「自分のやるべきことを決めるのは最後は自分だ」ということです。一見当たり前のことのようですが、実際私たちは、現実逃避に近い形で、自分の人生を他人事のように生きてしまうことがあります。私がそうでした。

私はバスケットボール部に所属していましたが、残念ながら同期のなかでは主力メンバーではありませんでした。ろくにシュートも入らず、自分の実力不足は自分が一番わかっていましたし、試合に出てもみんなの足手まといになるような状態でした。

私には現実から逃げることも、部活をやめることも選択肢にあったかもしれませんが、それでも最後まで部活を続けようと思った理由は何だったのか。今考えるとそれは、バスケ部の仲間たちとともに過ごす時間が好きだったからだと思います。このかけがえのない時間を仲間ともっと共有したいと思い、そのために自分は何ができるかと考えました。

最後に自分で決めた答えは、「自分にできることなら何でもやる」ことでした。私は最高学年になっても、雑務を率先してやることを心掛けました。それが顧問の先生方に認められたからかどうかはわかりませんが、引退試合では出番をもらったうえに、最後は自信のなかったシュートも決めることができました。自分で出した答えは間違ってなかったと胸を張れます。

これから先の道のりを他の誰かが皆さんの代わりに歩いてはくれません。そのことだけは私の口から言えることです。皆さんはこれから、必ず自分にしかできない決定を迫られる時が来ます。現実から目をそむけたくなります。誰か他の人に意思決定を委ねたくもなります。しかし、これは自分が自分の人生を生きる初めての一歩になるのではないか、とも思うのです。その一歩を自分のココロで決めてみませんか。もちろん、すべて自分で解決しろということではありません。保護者や先生方、そして友人は、本当に、私たちが思っている以上に私たち一人ひとりのことを見てくれています。

行き詰まってしまったときは、身の回りの人々が必ず支えになり、ときに自分の間違いに気づくきっかけを与えてくれます。それでも、最終的に自分の行動を決めるのは自分であり、自分の間違いに気づくのも自分だということを、この学校で私は学びました。大きな達成感をもっている者も、少なからず不完全燃焼の気持ちを抱えている者もいるかもしれません。しかし、仮に目に見える結果を出せなかったとしても、このプロセスを経て、大切な何かを学んだ、という自負はあります。

偉そうに聞こえるかもしれませんが、私たちが学んだことは何でしょう。人から信頼されること、人の信頼に応えること、自分の目標を自分で定め、そこまでの準備をすること。上手くいかなければ計画を修正し、また前進すること。ダメになりそうになっても諦めないこと。そんなときは周りを見て、志を同じくする友の姿にはげまされ、力をもらうこと。そうやって自分の決めた道を進み、それで出た結果に対しては潔く全責任を負うこと。私たちは理数インターでこんな体験をし、こんなことを学んで卒業していきます。

（２０１９年３月　卒業式答辞より抜粋）

●英語プレゼンという人生最大の恐怖の時間!?

相澤陽太（1期生）

私は今、かつて憧れ、恋焦がれていた医学生として毎日を過ごしています。医学部に現役合格した成功者。周りからはそう見えるかもしれませんが、ここまでに至る道は苦難の連続でした。

私は高校受験組でしたが、受験時は勉強が苦手で医学部なんて夢のまた夢でした。普通の高校に行って周りと同じことをしていても、決して医学部には行けない。そう思っていた私の前に現れたのは、宝仙学園という全く聞いたことのない学校でした。「理数インター」という名前と、「新設」というところに惹《ひ》かれ、「この高校に、新しい風に、私の夢をかけてみよう」と意気込んで理数インターの門を叩きました。

入学当初は成績も悪く、4月に担任の先生との面談で「医学部なんて無理だよ」と言われたのをよく覚えています。入学して最初に受けた駿台模試では英語の偏差値が42で医学部も当然すべてE判定でした。中学の頃、家でペンを持ったことすらない、そんなゼロの状態から、私の受験はスタートしたのです。

特に私が苦手だったのは英語です。クラス分けテストではギリギリで一番上のクラスになりましたが、周りとの実力の差は歴然としていて、授業の内容も分からず辛い毎日が続きました。辛さに耐えかねて先生に「クラスを下げてくれ」と何度も懇願《こんがん》しましたが、先生は頑なにその願いを却下し続けました。

授業の内容が分からないのに、ここにいたって意味がないじゃないかと思っていましたが、あるとき言われた「その程度で終わっていいのか」という一言が私の心にグサリと突き刺さりました。今思えば、このときが私の転機でした。分からなかったら諦めるのではなく、毎授業後に必ず先生を捕まえ、職員室にも毎日顔を出して先生に質問をしに行く。目の前の問題をただ解くだけではなく、理解する。高校時代に身につけたこうした姿勢は、大学に入った今でも活きています。

（中略）

そんなこんなで、高校2年になりました。2年の最大のイベントは、何と言っても修学旅行(アメリカ研修)でした。今まであまり話す機会が無かったような友人と出会い、初めて味わう異文化への驚きと感動を共有することで、大学生の今でも続くようなかけがえのない友情を手にすることができました。そして、ここで得た絆が、後の受験期に大きな影響を与えてくれたのです。

修学旅行は遊びだけではありませんでした。私は自分がやってきた研究をスタンフォード大学で口頭発表する機会を与えられました。苦手な英語で原稿を作成して覚え、現地の先生を前に発表に挑んだのでした。英語の原稿を話すこと自体はなんとかやり切り、質疑応答になった瞬間、私の人生最大の恐怖の時間が始まったのです。

先生からの心を射るような鋭い目線だけで、私はその場から逃げ出したい気持ちでいっぱいになりました。そもそも私は緊張しやすく、人前で話すのが苦手だったので、心のなかは半ばパニック状態でした。そして、いよいよ先生の口が開き……。

先生の目線並みに鋭い口調で、矢継ぎ早に繰り出される英語に私は圧倒されました。しかし、ここでくじけて日本語に訳してもらったり日本語で返答してしまったら、もう私は一生英語を使えないまま終わってしまうのではないかと思い、必死で闘うことにしました。聞き取れた単語だけでもツギハギのようにつなげて何とか理解し、知っている単語を駆使して何とか受け答えしました。

「話が難しすぎる。聴衆を意識して話しなさい」

このときの教えは、今でも活きています。話をするときは聞き手の立場に立ち、少しでも楽しんでもらおうと毎回工夫しています。そして何より、「英語でできたんだから、日本語でプレゼンするなんて怖いものは何もない」という自信がつき、今ではプレゼンが大得意になりました。

アメリカで見たものはすべて刺激的で、英語が苦手で海外に全く興味が無かった私の考えを一変させました。スタンフォード大学病院の前で見知らぬ医者を捕まえて記念写真を撮ったとき、将来はこういうところで働いてみたいという気持ちが湧きました。この旅が、私の海外への興味を湧き立たせてくれたのです。

（２０１６年６月　進路講演会より抜粋）

●富士校長からひと言

「理数インター」？「知的で開放的な広場」？「フツーの学校」？……。

読者のみなさんにとっては、そのコトバだけでは意味がよくわからないだろうと、副校長の右田さんが、まずは生徒の学校生活の様子を紹介してくれたというわけです。2章では、1章で私が書いた学びの理念がどのように実現されているか、それぞれの持ち場での教員と生徒の教育実践をつなぎます。

２ 「答えのない学び」、これまでとこれから
――教科「理数インター」の誕生

米澤貴史（理科教員）

★自己肯定感を高める授業を

２０１５年、２学期が始まって間もない頃、学内で４つの校内プロジェクトチーム（ＰＴ）が立ち上がりました。そのプロジェクトチームとは、「進路支援ＰＴ」・「生徒支援ＰＴ」・「入試広報ＰＴ」、そしてこれから述べる教科「理数インター」ＰＴでした。

ややこしいのですが、前節「フツーの学校の楽しい学び」で紹介した学校のコース名としての「理数インター」とは別に、中学校の教科の名称として〈教科「理数インター」〉という授業があります。ここでは、授業としての教科「理数インター」についてご紹介します。

プロジェクトチームが立ち上がる前のとある日、富士晴英校長から「とにかく学校が楽しくなるような授業をつくってほしい。名前は……、『理数インター』だ」と言われました。授業の具体的な中身やカリキュラムなどは全然決まっておらず、「楽しい授業で、生徒が学校を好きになってほしい」と言われたのです。方向性はこれしか決まっていない。ぼんやりではありましたが、「自己肯定感を高めるような授業にしよう」としか考えられませんでした。

9月に行われた職員会議でこの新設教科の構想は伝えられ、10月の会議で次年度からの導入が決まりました。ですが、10月の段階では、科目の全体構想・指導計画・シラバスはまだできていませんでした。

新しくこの授業を1週間の時間割に入れるのですから、当然、現在の時間割から授業時間数を減らす教科が生まれ、その空いたコマ時間に新設教科を入れなくては、時間割は完成しません。

この「理数インター」は、中学校に特設した教科なので、この教科を新設するということは、中学校の各学年1時間ずつ、たとえば、英語、数学、理科という大切な教科の授業時間を減らすことにもなります。これは学校にとって大きな決断ですが、そのような大きな決断をしてまで、この教科「理数インター」設置に賭けたのです。

「得体の知れない授業のために既存教科のコマ数を減らしてなるものか」

この発言は、職員会議の場で実際に出されていた言葉でした。教員たちのこうした反応はある意味では当然でした。

このようななかで、教科「理数インター」はスタートしたのです。

★ 新教科〈教科「理数インター」〉の内容を詰める

宝仙学園共学部理数インターが始まって以来、「総合探究プロジェクト」という取り組みがされてきました。教員たちがもっている見識をもとに生徒たちを集めて探究し、研究発表会を開催するというものでした。簡単に言えば、大学のゼミや研究室のようなイメージです。

生徒が少ない時にはこれでよかったのですが、生徒の数が増えてくるにつれて、これでは立ちいかないことになりました。そこで、生徒自身の「なぜ」を拾い上げ、その「なぜ」を

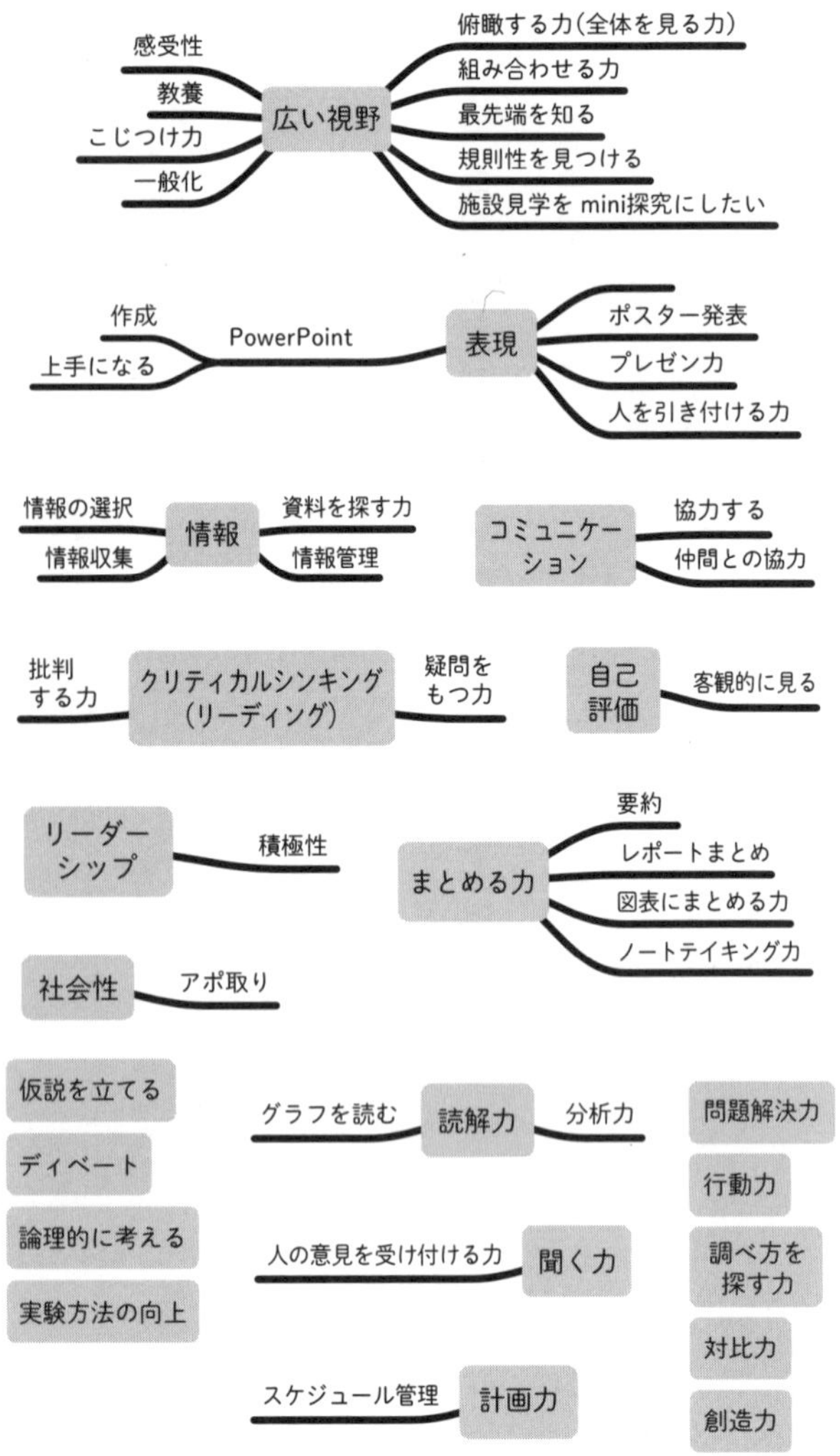

当時の資料より．どんな力をつけさせたいか

探究していく方向に変わりました。しかし、取り組む教員と生徒たちによって、その探究に濃淡が出てくるようになり、思うようにいかないこともしばしばありました。

この「総合探究」を発展させたものにするのか、あるいはゼロベースで考えていくか。そもそも生徒たちにどんな力をつけさせたいのか。問題解決力、行動力、聞く力、読解力、対比力、創造力、計画力……。

思い悩む日々がしばらく続きました。

そんな時でした。慶應義塾大学総合政策学部に進学した卒業生が、「大学での学びで面白いものがある」と授業の土産話《みやげばなし》をもってきてくれました。その授業で使われている書籍を見て、授業構想のアイデアが竜巻のように一気に広がりました。

キーワードは、「コラボレーション」「プレゼンテーション」「ラーニング」。この３つのキーワードを得たことで、より具体的な授業イメージを描くことができたのです。「得体の知れない授業のために既存教科のコマ数を減らしてなるものか」と発言があった職員会議にやっと挑めるようになりました。

これでイメージはつくれたものの詳細を詰めていかなければならず、タイムリミットは３

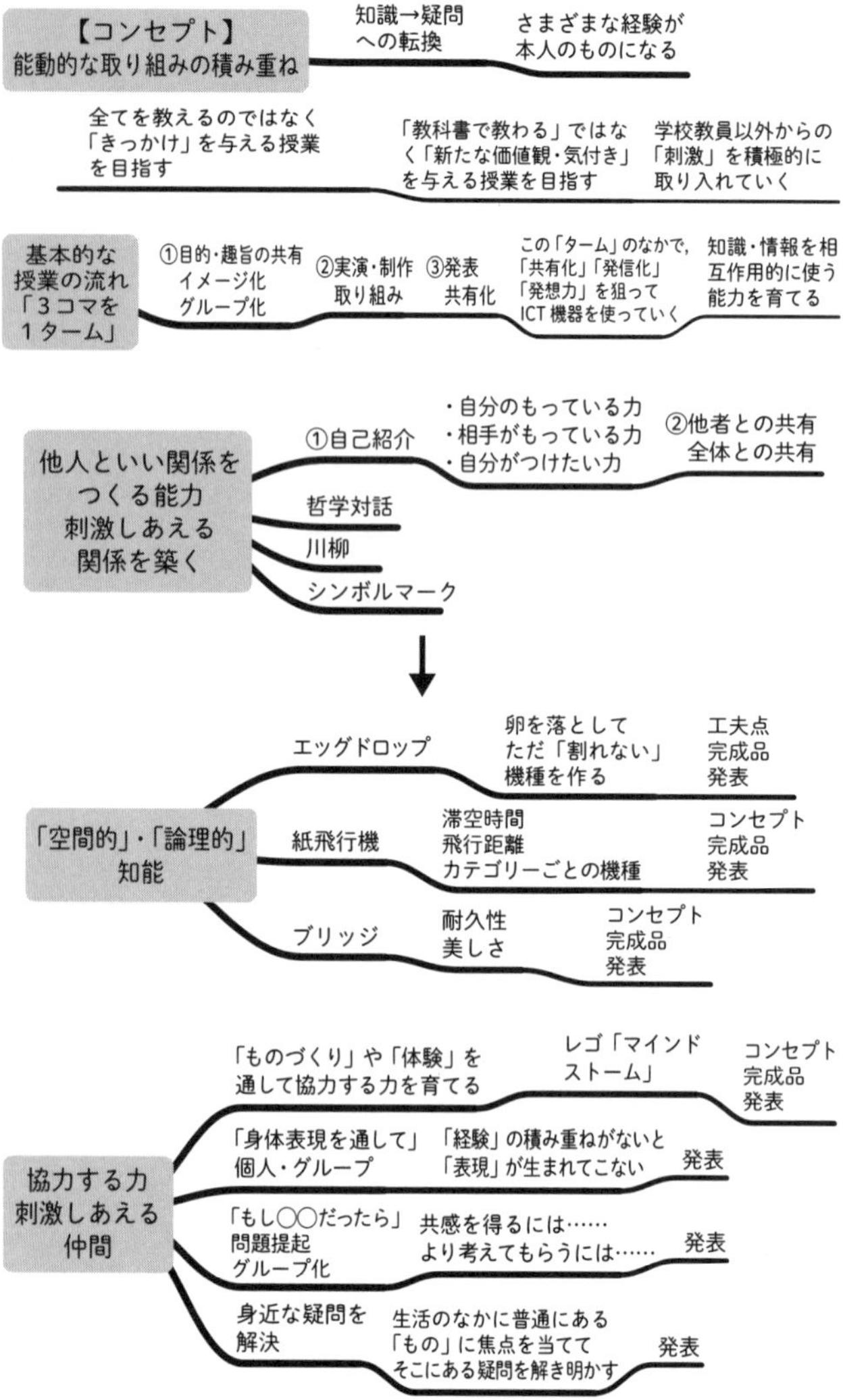
【コンセプト】
能動的な取り組みの積み重ね
知識→疑問
への転換
さまざまな経験が
本人のものになる
全てを教えるのではなく
「きっかけ」を与える授業
を目指す
「教科書で教わる」ではな
く「新たな価値観・気付き」
を与える授業を目指す
学校教員以外からの
「刺激」を積極的に
取り入れていく
基本的な
授業の流れ
「3コマを
1ターム」
①目的・趣旨の共有
イメージ化
グループ化
②実演・制作
取り組み
③発表
共有化
この「ターム」のなかで，
「共有化」「発信化」
「発想力」を狙って
ICT機器を使っていく
知識・情報を相
互作用的に使う
能力を育てる
他人といい関係を
つくる能力
刺激しあえる
関係を築く
①自己紹介
・自分のもっている力
・相手がもっている力
・自分がつけたい力
②他者との共有
全体との共有
哲学対話
川柳
シンボルマーク
「空間的」・「論理的」
知能
エッグドロップ
卵を落として
ただ「割れない」
機種を作る
工夫点
完成品
発表
紙飛行機
滞空時間
飛行距離
カテゴリーごとの機種
コンセプト
完成品
発表
ブリッジ
耐久性
美しさ
コンセプト
完成品
発表
協力する力
刺激しあえる
仲間
「ものづくり」や「体験」を
通して協力する力を育てる
レゴ「マインド
ストーム」
コンセプト
完成品
発表
「身体表現を通して」
個人・グループ
「経験」の積み重ねがないと
「表現」が生まれてこない
発表
「もし◯◯だったら」
問題提起
グループ化
共感を得るには……
より考えてもらうには……
発表
身近な疑問を
解決
生活のなかに普通にある
「もの」に焦点を当てて
そこにある疑問を解き明かす
発表

2016年2月の職員会議で配布した資料

週間後の職員会議。2月の入試関連業務の隙を見つけては、新教科の詳細を考えていきました。

2016年2月27日の職員会議資料より

◆今後の取り組み
教科「理数インター」で、「思考トレーニング」をする
＝大学受験に求められる力だけでなく、その後の人生にとっても重要な能力を鍛える

◆3年間のイメージ
思考トレーニングの3段階
①　思考の幅を広げる（協同作業・コラボレーションを中心として）　（中1）

② 思考を具体化・共有化する（発表・プレゼンテーションを中心として）（中2）
③ ①・②を土台として思考を進化・深化させる（中3）

◆「思考の幅を広げる」（中1）の具体的活動例

① 「思考の幅を広げる」とはどういうことか。ひと言で言えば、自分とは違う考え方に触れる、ということ。人は新しいものの見方や考え方に触れない限りは、いつまでも自分の狭い思考の枠に留まったままである。考え方を柔らかくし、そしてさまざまな角度から考えられるようにするのは大切な思考のトレーニングである。

〈授業展開例〉

◎授業コンセプト『思考の幅を広げる』

Ⅰ．エンカウンター（友人の輪がまだできていない集団を想定）

①　無言で挨拶（自由電子のごとく動く）（1分）

②　じゃんけん自己紹介（1分）

⇓じゃんけんをして勝った人のみが自己紹介

⇓1分の間でどのくらい自己紹介ができたか

③　いいね！　deクレッシエンド!!

（「いいね！」と言う声をだんだん大きくしていく）

場がほぐれてきたところで……

④　誕生日チェーン

⇓無言で、ジェスチャーのみで参加者の誕生日順にひとつの輪をつくる

Ⅱ．グループ分け

誕生日チェーン順に、数名でのグループ分け
↓
グループごとに机に分かれる
教員の「意図的な班決めではない」ということを示す

Ⅲ．個人ワーク

【用意するもの】付箋・A3用紙・ペン
「22歳の自分が自己紹介をするとしたら」
・中高でどんな部活をしたか
・大学はどこに行ったか
・どんなことを勉強したか
・将来像を自由に発想してもらう

〈発想力を刺激する〉

★自分の理想は？

★自分だったらできないけど、こうであればいいなということは？

★他人が聞いて、面白いと思うことは？

※発表は、「絶対に聞いた人の印象に残るような自己紹介にすること」

〔ポイント〕面白い・ユニークな期間を考えられるか

※プレゼンテーション・パターンNo. 8「驚きの展開」

時には、聞き手の予想の外側へ

【教員：発想を引き出すペースメーカーとして動く】

×：これから来る電車の線路を引かない

※事象は付箋に書いてもらう

ストーリー(時間軸)をA3用紙に
付箋を時間軸順に貼って、発表のストーリーをつくる

◆**グループワーク**

考えた自己紹介を「紹介」し合う。
※コラボレーション・パターンNo. 0「創造的コラボレーション」
自分たちが成長しながら、チーム全体で、世界を変える新しい価値を生み出す
※コラボレーション・パターンNo. 4「成長のスパイラル」
仲間とともに高め合う

中1ではこのような課題解決活動を、コラボレーションを通して行う。中1の好奇心をくすぐるような課題設定を10考える。それぞれを3時間かけて行い、インプット(課題設定と自分で考える時間)→コラボレーション(仲間と共同作業し、互いの考えを交換する時間)→アウトプット(友達の考えを知り、自分の考えにどう影響を与えたかをまとめたり発表したりする)のように進める。

(ここまでが2月27日職員会議資料)

このような過程を経て、新教科「理数インター」が誕生し、「答えのない学びをしよう」をメインテーマとして設定しました。教科の枠を超えて教科書にはない「新しい学び」を創造・チャレンジしていくことにしたのです。

★こんな空気に包まれて「新教科」を

では、ここで、教科「理数インター」の学びを少しかじってみましょう。

まずは、教科「理数インター」の授業を初めて受ける方たちに見せている、1枚の絵を見ていただこうと思います。

https://www.egitimpedia.com/ より

この絵を見て、皆さんはどのように感じるでしょうか？

感じ方・捉え方は人それぞれですが、私はこの絵を見せて、「楽しそうに見える？」「楽しそうに見えないのであれば、なぜ、そのように感じるのだろうか？」と問いかけています。

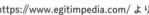

学生の皆さんは、「正解を求める」行動をよくやっています。テストなどで「〇(正解)」を多く得るために、知識やマニュアルのような考え方を詰め込んでいるからです。

その詰め込んだものがしっかりと覚えられているか、マニュアルの手順通りに考えられているかをチェックするのが「テスト」であり、しっかりと覚えられていれば「１００点」。全然覚えられていなければ「０点」と数値化された結果が出てきます。

その数値を大人が見て、ほめたり怒ったりしているのは日常茶飯事《にちじょうさはんじ》でしょう。

私が教員になってすぐに、こんな光景を通勤途中のバスで見かけました。それは、塾帰りの小学生と同じバスに乗り、小学生が先に降りた時でした。手には塾のテストの答案と成績が入っている（であろう）袋を持ってバスから降りました。その停留所には、ゴミかごが設置されていて、バスから降りるやいなやその小学生は、手に持つ袋をゴミかごに投げ捨てたのです。

袋のなかに入っていた（であろう）テストの結果は、この行動から想像することができるでしょう。この小学生は、どのような心理でこの行動を取ったのでしょうか。

話を先ほどの絵に戻しますが、私は絵を見て「大人に考え方を切りそろえられた子どもたちは、楽しく学ぶことができないのではないか。日本の教育はこのようなことをしていたのではないか。この枠を外さなければ、子どもたちは楽しく学べない」と捉えました。皆さんは、どのように見たでしょうか？

私は、教科「理数インター」の授業を行う際に、この図のようにならないことを心がけています。子どもたちの自由な発想・アイデアを、消費社会の産物のような大量生産させられたものにしたくはありません。大人の考えによって潰《つぶ》したくはないのです。

そのために、「自分の意見を否定せずに、何でもやってみよう！ 言ってみよう！」という雰囲気をつくって授業を展開しています。この雰囲気をつくるのは教員だけではありません。グループワークをしている生徒たちも同様です。お互いのコラボレーションがないと、教科「理数インター」は成り立たないのです。

★「答えのない学び」に触れてみよう

では、実際に授業で行ったものを紹介することにしましょう。

①「絵画ワーク」

２０１１年にロサンゼルス郊外で見つかったバンクシーの絵を示して次のような問いかけをします。

「この絵は、ある国の街にある雑居ビルの壁に描かれた絵ですが、この絵を見て何を感じますか？（ただし右にある「NO PARKING」は絵が描かれた後にイタズラで貼られたものなので、これは無視してください）」

「何を感じるか考えて」と言われても難しいと思うので、下のワークシートにある視点で考えてみてください。

Banksy, 2011　　www.banksy.co.uk より

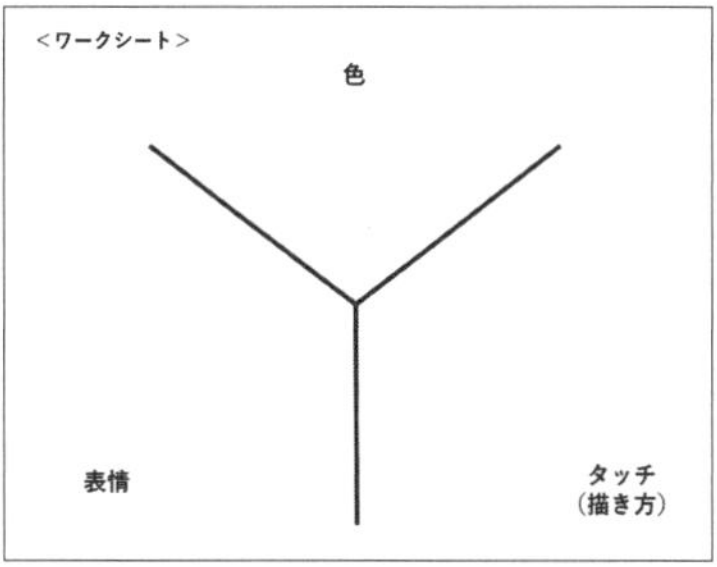

②「発想の交差」

Aの円を何かに見立てて「よりシンプル」に描いてください。

①と②は、それぞれが感じたも

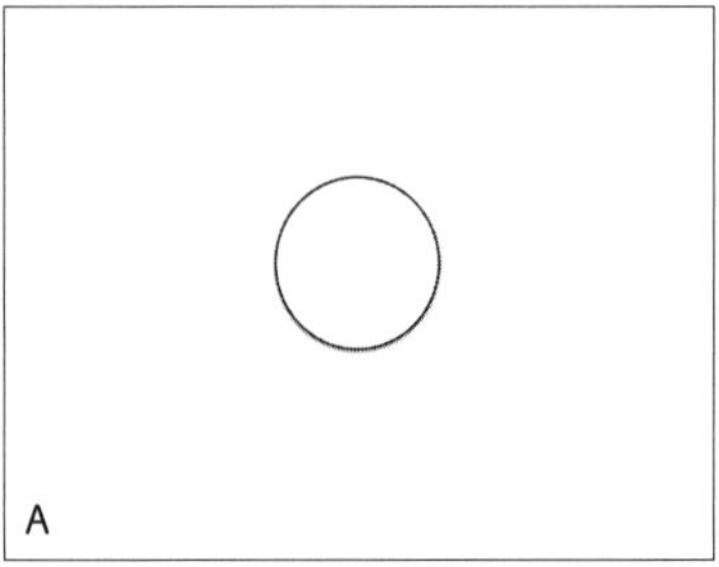

の・発想したものを文字や絵画という形式でアウトプットしていきます。アウトプットしたものをシェアしていくと、「あの子の発想が面白い！」「この子の着眼点がすごい！」という声が聞こえてきます。この声こそが、発想を交差させて、今までの自分にはなかった気づきを得た瞬間なのです。

まさに、Bのアイデアのように、頭の上で「ピカン！」とする瞬間がたくさんあれば、「楽しい！」と感じると考えています。

③ **「未来志向」**

皆さんは「未来はどうなると思いますか？」と漠然《ばくぜん》と聞かれたら答えられるでしょうか？

中学生たちに「未来」を聞いてみたいと思ったので、授業で「未来」を考えてもらうことにしました。ただ単純に「未来」を聞くわけではなく、「過去から現代(いま)」「現代(いま)から未来」と順序立てて聞きました。

この授業を行ったのは、２０２０年のことです。ちょうど区切りがいい数字の「50」が頭に浮かんだので、「50年前」と「50年後」を考えてみました。

50年前は１９７０年。この年に何があったか調べてみますと(ちなみに私は１９８１年生まれ)、大阪万博があった年でした。なので、この大阪万博に注目してみたところ、「大阪万博　未来館」というのがあり、この未来館のテーマが「君をタイムマシーンで紀元２０２０年の日本へ！」となっていました。

これで、現代(いま)と過去が結びついたので、教材化確定でした。この未来館、当時の資料によると、２０２０年は「人類は空を完全に支配した」「海底都市は人類第二の故郷」と説明書きがありました。

さて、現実はどうでしょうか？　ここまでだと過去を見るだけです。現代からの50年後、２０７０年はどうなっているでしょうか？　少し考えてみてください。もちろん、正解はありません。「こんな考えは間違っている?」と不安に思わなくても大丈夫です。50年後の未来は、これからつくっていくのですから。

この他にも、「ひと筆書き旅行」や「日常のあるあるから新商品を考える」「100個のドミノを使ってより長い時間をかけて倒せ!」「パスタを使ってより高いタワーをつくろう」「プログラミングを使って、実空間をより楽しくしよう」というような授業を行っています。

教科「理数インター」は、校長からの「学校が楽しいと思えるような授業を」というひと言から始まりました。このひと言以外、中身がありませんでした。当時は相当悩みましたが、今思えば中身が決まっていない分、「自由に授業がデザインできる」という利点があったと感じています。

この自由があったからこそ、教科の枠を超えて、教員同士がワイワイガヤガヤしながら教科「理数インター」を練り上げていくことができたと感じています。授業をデザインしていくなかで、「学ぶ面白さ」を私たち自身が体感することができました。この「面白さ」を広めていくのが、教科「理数インター」なのではないかと考えています。

★既存の枠を外しての学び

この本を読んでいる皆さんは、学校の教室・授業について、どのようなイメージをもっていますか？

「えっ、学校の教室？　教室だから、机と椅子があって、黒板と教卓があるべきでしょ」「授業なのだから、先生が黒板に書いたものを生徒がノートに写して、黙々と先生の話を聞くべきだ」「授業中に私語でもしたら、先生に目をつけられてしまう。なので、授業中はしゃべらざるべき」と多くの方がそうイメージするのではないでしょうか。

教科「理数インター」では、「こうあるべき」という「べき論」や、「真実はこうだから」といった「既存の枠」「規定の枠」に収まらない学びを目指しています。

ここで紹介する写真はすべて授業の様子のひとコマですが、「学校の授業」のイメージとかけ離れていませんか？　このように「無意識のバイアス（思い込み）」を解くことで、「新たな学び」や「新たな気づき」が見つかるのではないかと思います。

教科「理数インター」1回目の授業.
机も椅子も取っ払う

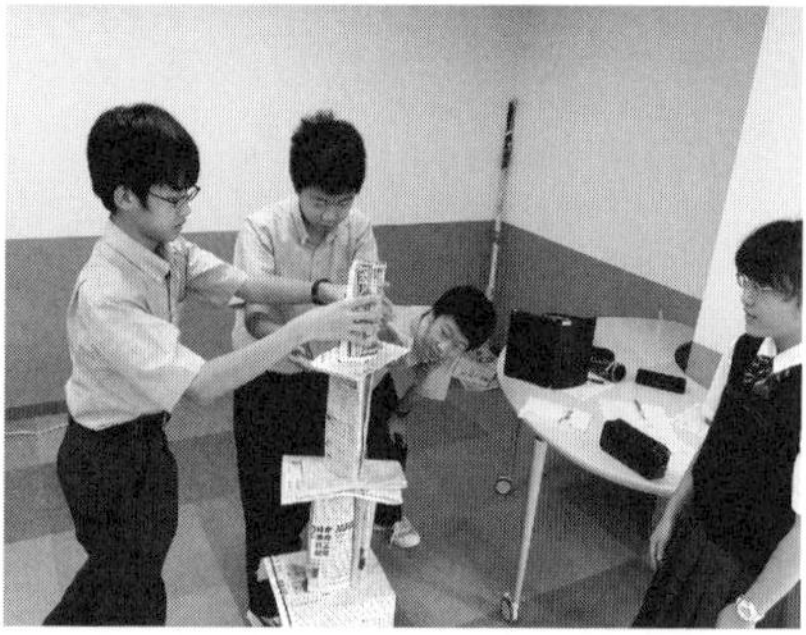

2016年：コラボレーションの授業
（チームビルディングとして，ペーパータワーを作成しています.「新聞紙10枚でより高いタワーを建てよう」がお題です）

★ どうつけるの？ 成績??

授業を行っていると、次のような質問を多方面から聞かされます。もし皆さんであれば、どう考えますか？

「成績は、０点〜１００点で点数にするのではないか」

「この授業で赤点を取ったら、どんな補講だろう」

というたぐいの質問です。

もしこのような考えであれば、「成績」という既存の枠から抜け出せていないのではないかと思います。「点数をつける」ということは、どこかにそれに対する答えがあり、その答えにどれだけ近づけているかのもの差しが存在すると思います。

しかし、教科「理数インター」の学びは「答えのない学び」なので、答えというもの差しがそもそもないのです。授業中の生徒の活動に対する答え（もの差し）の点数化はあり得ないと考えています。むしろ、無理やり点数化してしまえば、これこそつまらなそうにしている生徒の絵（82ページ）のようなものになってしまいます。


では、どのように成績をつけているかというと、「生徒個々がどれだけ成長したか」という「内面的な気づき」を本人たちにアウトプットしてもらい、それを成績としています。もちろん点数化はしません。実際に、生徒たちにどのような気づきがあったか、少し紹介してみましょう。

生徒①　自分で改善点とか、良い点を考えて、それを活かせるようになったと思う。また、

2019年の授業
（付箋を使ってアイデア出しとiPadで情報共有）

2019年：コラボレーションの授業
（ドミノ倒し）

ひとつの視点からではなく、さまざまな方向から見て考えることで、より視野が広がったと思う。

生徒②　実際に、チャレンジしないとわからないことが多いと感じた。比較的、チャレンジを恐れないようになった。チャレンジすることの大切さを知ることができた。

生徒③　ひとつの視点で見たら発想できるものは限られてくるけれど、他の人の立場から見ると新たな考えが生まれることに気づいて、さまざまな観点からものごとを考えることができるようになった。

生徒④　自分の学びを振り返ることで、１年間成長できた気がした。

生徒⑤　他人の意見を学んだことで固定観念がなくなったこと。

生徒⑥　学びはただひたすら勉強するだけだと思っていたが、それだけではないと気づけた。

生徒⑦　今までは何でもかんでも詰め込んですべてを実現しようとしていたが、今は必要なものと要らないものを見極めることができるようになった。

生徒⑧　自分の言いたいことを順序立てて人に伝えることができるようになった。

生徒⑨　ひとつの考えにこだわらず、たくさんの方向からものごとを見られるようになりました。また、他の人と話して、考えを共有することで、新しいアイデアが生まれやすいということを学びました。

生徒⑩　ものごとの本質を捉える。

さて、どうでしょうか。ほんのひと握りの生徒の成長を、生徒記入の原文のまま紹介しました。このような学びの気づきがあるだけで、生徒たちにとっては大きな成長だと思います。「教科の成績」は、よく短期的な成果を求められがちです(○○をしたので、その結果として△△ができるようになったというふうに)。そして、成果が出ないとそこまでのアプローチが間違っているので、正しいアプローチでいけとなるわけです。

しかし、ここでの学びは、「短期的な成果は出ない」と思っています。むしろ、「長期的な目線が必要な学び」だと認識しています。すぐに効果が表れなくても、ここでの学びを経験したからこそ得られた気づきが、内面からじっくりジワジワと染み出してくるようなイメージです。学びにも遅効性があってもいいのではないかと思っています。

前述の生徒たちの「気づき」に、大人たちはどう点数をつけることができるでしょうか?

★「答えのない学び」は世代を超えて

ここまでの「答えのない学び」の主人公は生徒たちでしたが、この学びは学校に通っている生徒だけのものかというと、そうではないと思っています。

ある時、大人を対象に、教科「理数インター」の学びを実施する機会がありました。その時のテーマは、前述の「絵画ワーク」でした(絵を見て何を感じたか)。生徒たちとの授業と同じように進行させていましたが、大人だけで授業をしていると、違和感をもつ瞬間がありました。

それは、「ワークシートに自分の感じたことを書いてください」と言った直後でした。生徒たちと実践した時は、「え～」とか「あ～」とか言いながら、自分なりに感じたことをどんどん書いているのですが、大人だけの時間の場合、一向に筆《ふで》が進まない様子なのです。ついには、「この問題は、何て書けば正解ですか?」といった質問が出ました。

また、「お互いの意見をシェアしましょう」という時間を取った時のこと。「こんなことを

教科「理数インター」の学びを教員同士で体験

言っては違うと思うのですが」という発言が多くありました。これは、自分の意見に自信がないような言い回しですが、その根底にある「正解を追い求めている」という姿勢の表れだったと思います。

　このような時間を経験したことで、大人のほうが「答えのない学び」にほど遠いなと感じました。大人は子ども以上の経験を積んでいるため、その経験則から問題解決の糸口を知っています。そして、その経験則が時には「正解を追い求める」という行動に表れてしまうのでした。

　経験の積み重ねも大事ですが、「何でも言っていいよ」「何でもやっていいよ」「失敗？それがあるから成長するのでしょう。だから、どんどん失敗して大丈夫！」という空気感や経験の共有・思考の共有も必要だと思うのです。

子どもたちだけではなく、これからの時代に生きる人たちは、「答えのない学び」にチャレンジしていくことがとても大事です。どんな学びになるかは人それぞれですが、どんな学びでも「自分の内面から成長を気づける学び」は、とても素敵なことだと思います。

そして、このような学びが標準になっていくこれからは、学校・教員というものの役割も変わっていき、「学びを教える」という役割から、「学びをプロデュースする」「学びをクリエイトしていく」「学びをジェネレートしていく」というような、「創造する学び」を引き出す役割になっていくと、私は思います。

●教科「理数インター」でこんなに変わった！

中学生たちとの雑談会

★教科「理数インター」の授業をひと言で表すと

米澤　本日の雑談会ですが、皆さんが学んでいる教科「理数インター」に、どんな感想をもっているか率直に語っていただこうというものです。最初のお題は、教科「理数インター」を簡単にひと言で表すとどんな感じかな。教科「理数インター」のキャッチコピーを考えてほしいというものです。

生徒C　「自由と新発見」かな。「自由」とは、ひとつのお題をどう考えるかということが自由だということです。自由だからいろいろなことが発揮できます。「新発見」とは、プレップ（プレゼンテーションのやり方のひとつの定型、ＰＲＥＰ法）とかメッシュ（プログラミング教育で活用されるアプリ）があるなかで、考え方の発見があるということです。

米澤　「新発見」とは、自分にとっての新発見ということ？　プログラミングをやったから、プログラミング的な思考ができるようになったという感じかな？

生徒E　「理数インター」は、コミュニケーションとプレゼンテーションが肝だと思います。人それぞれの意見があり、それをシェアする場所だから、自分の考えを相手に伝えるコミュニケーションがとても大事です。教科の勉強とは異なり、社会に出て実際に役立つことを学べる場だと思いました。

さまざまな意見をひとつにまとめるために、グループで考え、みんなにプレゼンして、みんなから出た意見によって、またブラッシュアップしていく。勉強よりは課外学習に近いと思います。

米澤　学園外の方たちから「これを実践して、何の役に立つのですか？」とよく質問を受けます。E君だったら、この質問にどう答える？

生徒E　外部の人からはそう見えるかもしれないけれど、僕からしたら「理数インター」があったから「読書プレゼン」（２章３で詳しく紹介）や、「英語プレゼン」、あるいは内部進学のプレゼンなど、人前で話すことに抵抗がなくなった。人前でプレゼンテーションができるようになったことが、僕にとって一番の成果だと思っています。
プレゼンテーション能力は全員あったほうがいいと思います。話をする側も話を聞く側も、コミュニケーション能力とかプレゼンテーション能力があるほうが、人として大事だと思うから。僕は「理数インター」での学びは今後の社会、人生において必要なことじゃないかと思う。

米澤　他の人はどうかな?

生徒G　「空間を自分たちでつくる」。普通の教科の授業は、先生が中心となってつくる空間。それに対して、「理数インター」はみんなで、ひとつひとつのグループで授業をつくるから、結果、空間を自分たちでつくっているという意識が強い。たとえば、国語の授業の場合、先生がある問いを出して、それに対する自分の感想を考えて書くことが多い。「理数インター」はどちらかというと私たち主体という面が大きく、そして関わるということが多い。

米澤　国語の授業で「この筆者の考えを書きましょう」という問いがあって、その問いには最終的に落としどころのようなものはあるのかな？

「落としどころ」というのは、「筆者はこう考えている」みたいな正解のようなものです。勝手なことを言うけれど、表現だって、考え方だってみんな違うわけでしょ？

生徒G　国語で聞かれる「筆者の考えはこうだよ」というのは、わかりやすく書いてある文章もあれば、最後に余韻だけを残して終わっている文章もある。だから、必ず答えが書いてあるわけではありません。文章によっては、自分たちで想像する必要があります。その想像の範囲内にある筆者の考えだったらわかりやすいです。

「理数インター」で出されるお題は、自分たちが想像できないところまで広がるし、枠がないからどこまでも発展させていける。

米澤　確かに枠っていうものを意図的に壊しているからね。他にもあるかな？

生徒H　僕の思っていることは、すでにみんなが発言済み。「この空間みたいなもの」が「理数インター」だと思う。

米澤　どんな空間？

生徒H　ひと言で言うとね、「多方向から攻めて、ある意見をブラッシュアップしていく。

そんな能力が身につく空間」のように思います。

あるひとつのお題に対して、一人ひとりが思うことがある。興味がある人、ない人。それぞれに分かれるのは、とても自然。それで興味がある人はその分野、その問題に対して意見があるから話してもらう。その際に、興味のない人もその話を聞いて、「あっ、そういう側面があるな」と気づきを得ることができる。

また、「理数インター」のどの課題でも必要になるのはコラボレーション。そのコラボレーションには、どうしても慣れが必要だと思う。慣れないとうまく進まない、議題もまとまらない。さまざまな人の話の引き出し方があるし、そういうことに慣れることが必要です。

たとえば難しい数学の問題について、みんなで考えるという時も、どう説明すればわかりやすいのか、どう聞けばいいのかについて、「理数インター」で学んできたから何となくわかる気がする。「理数インター」はさまざまな意見が出されることで、それらをブラッシュアップしていく能力が身につくかなと思います。

米澤　試行錯誤しながら突き進んできたのだけれど、皆さんのような発言をする生徒が生まれるとは、感無量です。

★授業でどんなことを学べた（経験した）？　どんな学びをした？

※ラーニングパターンのカード（創造的な学びの秘訣が書かれたカード。授業でも活用している）を使用、それぞれ当てはまるカードを選んで発表していく。

米澤　次のお題に移ります。教科「理数インター」の授業を今まで受けていて、どんな学びがあったかな？　ラーニングパターン「学び方のコツ」を活用してほしい。今までの授業でどんな学びがあったのか、近いカードを何枚か選んでください。じゃあ中学3年生から行こうか。

★生徒B【選んだカード4枚：自分で考える、フィールドに飛び込む、小さく生んで大きく育てる、セルフプロデュース】

生徒B　「自分で考える」というのは、「理数インター」の授業を受ける前から実践してきた。

しかし、考えて終わりではなく、その後、「自分で考えたことをどうするか」という先のことも考えるようになりました。それは、この授業で「グループワーク」、グループで授業を受けて、グループの仲間と一緒に考えるようになったからです。

「フィールドに飛び込む」ですが、今までは自分の考えだけを大切にしてきましたが、そんな自分中心の枠、殻を破ることです。たとえば、他のグループに行って、「どういうことをやっているの？」「君の班はどういう意見が出ている？」など、何気ない感じで聞けるようになりました。一種のチャレンジ精神が芽生えました。

「ここの班はこうするから、うちの班はこういうことをするともっとよくなる」という発見もあった。この発見は、自分の班だけに留まっていたら絶対にわからないことでした。こういう面での積極性が生まれたと思います。

「小さく生んで大きく育てる」ですが、どんな些細な意見でも最初はさまざまなマイナス面を数多くもっています。しかし、「このマイナス面をこんなふうに埋めていくともっとよくなる」など、建設的な意見をグループでたくさん発言しあうことによって、どんどんバージョンアップさせ、最終的には素敵な考え方ができあがっていくと思います。

「セルフプロデュース」は、自分で自分のプロデューサーになること。現在の自分をよく理解していても、これからの自分をどうしていくのかを考えないと、これから何を目標にしてどう動けばいいのかが見えてこない。

教科「理数インター」の授業だと、一個の課題をグループみんなでプレゼンします。たとえば、僕がプレゼンの発表をするとして、自分でもプレゼンの練習をするけれど、それを動画で撮り、自分で見て聞いて、もう少し抑揚をつけたほうがいいなどの改善点が明らかになります。こうした気づきをもとに、どんどんよいプレゼンにしていく。先ほどの「小さく生んで大きく育てる」にもリンクしますが、やはり自分で自分を見るようにすることがセルフプロデュースだと思います。

米澤　受け身的な発想から能動的な発想で考えるようになったのね。

★　生徒Ｈ【選んだカード２枚：身体で覚える、学びの共同体をつくる】

生徒Ｈ　コラボレーションして、プレゼンテーションを考えること。「理数インター」はガチガチになって、今日は何を学ぼうと思いながら臨む授業ではない。コラボレーションだったら、さまざまな課題を受けていきながら、先ほども話したようにしゃべり方を学ぶことです。ノートに書いて覚えるというよりも、身体で覚える感じです。

この「身体で覚える」というのは、「スキルが身体に刻み込まれ、意識しなくても使えるようになるまで繰り返し練習、実践する」とカードに書かれていました。

コラボレーション、プレゼンテーションの時に、ピンポイントにしゃべり方にスポットを当てて、そのピンポイントに向かってトレーニングできる点が、他の教科とは異なる点だと思います。まさに、「身体で覚える」です。

もうひとつの「学びの共同体をつくる」は、「一人で学ぶ必要なんてない」「同じ目的をもつ人や互いに刺激しあえる人と一緒に学んでいける環境をつくる」と、カードには書いています。「理数インター」では能動的に動く人と受動的に動く人が絶対に存在する。それは良いとか悪いとかいうことではなく、複数の人間で構成されるグループという組織ではむしろそれのほうがよいと思う。

能動的な人がいるとその人はなりふりかまわずいろいろな人に話しかけていく。たとえ受動的な人であっても、能動的な人が絶対に話しかけていくから、そのなかでコラボレーションが生まれる。能動的な人の意見は理想論に近づきすぎ。ところが、受動的な人は修正的な意見を慎重に出すことで、現実的な方向にもって行く力がある。この二つのバランスがさまざまな人の意見を受け入れていくなかでいい感じになっていくと思う。

米澤　なるほど、確かにそういう面はあるね。

★生徒E【選んだカード3枚：捨てる勇気、鳥の眼と虫の眼、アウトプットから始まる学び】

生徒E　僕が選んだカードは、「捨てる勇気」「鳥の眼と虫の眼」「アウトプットから始まる学び」。

まず、「捨てる勇気」は、「囚われていたものを捨てると新しい可能性を得ることができる」とカードには書いてありますが、たとえば囚われていた自分の考えをいったん捨てる、捨てなくてもいいから変えてみることで新しい考え方が生まれることもあると思う。

「理数インター」は、答えがないから囚われるものがない。言い換えてみると、自分の固定観念を打ち破るきっかけをもらえる。自分のなかだけだと、考えても結局同じ方向になってしまう。みんなと考えをシェアして、より高みにもっていく時に、新しい可能性が見えてくると思う。

二つ目が、「鳥の眼と虫の眼」。「鳥の眼」とは全体を俯瞰《ふかん》することであり、「虫の眼」とは細部をきめ細かく見る視点のことを言います。

米澤　「俯瞰」の意味、わかっている?

生徒E　わかります。全体を見渡すことです。「鳥の眼と虫の眼」は、私たちがものごとを考える時に必要なことは多方向から見ることだ、ということです。

たとえば、吹奏楽部のコンサート。演奏者がいて、聴いてくれる人がいて、またOBやOGの支えてくれる人がいて、保護者の方がいる。こうしてコンサートを支えています。そのコンサートを支える人たちからのさまざまな視点を採り入れて、コンサートを開催しなくては成功しない。コンサートは演奏者の視点だけでは成り立ちません。

「理数インター」も同じで、自分だけの視点では授業が成り立ちません。多様な視点の意見から学ぶことが新たな学びにつながります。

三つ目は、「アウトプットから始まる学び」。数学や理科、社会などの教科の授業は、だいたい知識をインプットしてからアウトプットするという手順になっています。先生から教えてもらった内容を自分でインプットして、問題集などでアウトプットします。しかし、僕にとってそれはつまらないことです。

僕が興味をもつのは、アウトプットから始まる学びです。アウトプットから始まる学びとは、結局自分の考えを披露しないと何も始まらない学びです。

このカードでは、その後に、オポチュニティーについて書いています。チャンスとか機会をつくるという意味が、オポチュニティー。自分で機会を手繰り寄せるのが、「理数インター」なのかなって思います。

米澤　確かに、オポチュニティーの意味はそうだね。今までの勉強は、この場の答えはこれ、というものだけだった。ところが、「理数インター」の授業では、何でも言っていいよ、何でもやっていいよ、というもの。だからこそ、最初の頃は違和感があったのでは？

生徒E　違和感というか、抵抗はあった。

米澤　だって小学校の時からそれでしょ？　塾に行っても答えがあって、○×がある。答案の○×の数、つまり点数に怯えていた。悪かったら、答案用紙をくしゃくしゃにしてゴミ箱ポイ、親に見つかる前にね。

★学んだこと(経験したこと)で、自分自身がどう変わった？

米澤　みんなに聞きたいのは、授業で、自分がどう変わったかということ。仮に、この授業がなかったら、どうなっていただろうという話もしてほしいと思います。

生徒E　この授業がなかったら、僕の中学校生活は、「これを学んだ」というものは何もなかったと思う。

生徒G　「変わる」というのは、先生が先ほどお話ししましたが、時間が経ってからかもしれない。

生徒C　生徒だけでなく、保護者にもこういう授業を本気でやってほしい。

米澤　それね、自分は本当にやりたい。

生徒C　マジで1回、生徒になってもらい、本当に週1で実践してほしい。大人が生まれ変われそうじゃないですか。この授業を受けると、親は偏差値とか言わなくなるし、テストの結果を求めないようになると思う。

生徒G　月何回コースみたいなのつくって。

米澤　時々受験生の保護者向けでやっています。

生徒H　ドミノ倒しの時に見ました。保護者の一人が無駄に難しい単語を使って話したり、無駄に論理を出し過ぎて、逆に違うものになっていました。柔らかい発想になるために授業をしているのに、固くなっている。大人って、面倒だな、固いなあと思った。

米澤　パスタを使って、高いタワーを組み立てようという時に、建築家の方が保護者のなかにいて、建築学的にはこういうふうに建てたほうが一番強度のある構造になると言い張るんです。しかし、実際やってみるとできないわけ。その時は、グループのなかでのグループワークは成立しなかった。

生徒H　やり方があるとそれ以外はできなくなる。

生徒B　僕は小3の初めの頃までは中国にいました。中国では1日に授業を8時間受けていた。マニュアル通りの教え方をする先生の授業を受けていたのです。たまに学校のなかで、何人か選抜されて演説会を開いていた。僕が選ばれた時、みんなの前で話すこともマニュアル通りになっていた。全部文章があり、ここを話す時にはこういう振り付けで、抑揚をこうつけて話す、目線はどこに置いたらいいかなど、先生に言われたままを受け入れていた。

米澤　先生もロボット、生徒もロボット。

生徒B　そうそう。当時の僕は、先生にプログラミングされている気分だった。「こうしろ。こうしろ」をインプットされるわけです。日本に来た時に、「日本は自由だ」と思った。しかし、当時の僕はマニュアル生徒だったので、言われた通りにしかできない生徒でした。だから、宝仙での学校生活は最初、相当戸惑った。「理数インター」を受けて変わったことは、自分で考えたことを自分の口からしっかりと伝えられるようになったことです。「自由」はよいと思います。

米澤　「理数インター」を受けることで180度変わったということだよね。中1の時の君はおとなしいイメージだったが、それは戸惑いだったわけだね。

生徒B　しゃべることは小さい頃から好きです。世間話とか雑談はペラペラしゃべれるんです。ただ、目的をもって話すことが全然できなかった。「何をしゃべればいい？　何を話せばいい？」を考えると、頭のなかが真っ白になり、全然話せませんでした。
「理数インター」の授業はけっこう楽しくて、目的を忘れて、楽しんだ。遊びを通して自分の伝えたいことをだんだん伝えられるようになっていった。人前で話す時も、原稿をつくる際には、これまで中国の先生からマニュアルにそって指導されていたことなどすっかり忘れて、自分の判断で原稿をつくり、話せるようになったことがとても嬉しい。

米澤　君は合唱祭の時に大きな声で挨拶していたね。確かあの時、なんかドキドキしているな、もじもじしているなと思ったけれど、立派に叫んでいた。「お、こいつやりよった」「殻が破れたな」と思った。いい感じになってきたなと思ったよ。

生徒F　小学校の頃から中２の現在も、人前で話すのは大の苦手。個人的に話すことはできますが、人前でとなると……。
でも、グループ内での発表の時に、少し考えたことを話せました。みんなと話す機会が多くなって、自分の意見も少し言えるようになった。みんなに伝えられたかはわかりませんが、人前で話せたことで、少しずつ大の苦手も変化しています。

米澤　それは成長だよ。「理数インター」の話を保護者の前ですると、質問で「うちの子、表にあんまり出ないタイプなんです。それでも大丈夫ですか?」とよく聞かれます。もし、そう質問をされたら、みんなはどう答える?

生徒H　そんなことないですよ。体験してみないとわかんないものです。たとえ言葉では言えなくても、感じるものがあるはずです。

米澤　確かに言葉にすると難しい。この体験談は、質問に対するひとつのよい事例になる。変わったきっかけは?

生徒H　どんなにいろいろと考えても、口に出して言わないと相手もわかんない。そう考えると、考えるだけではなくて発表しないといけないのかなと思うようになりました。

米澤　なるほどね。

生徒E　信じてくれないと思うけれど、僕もあまり人前で話すのが得意ではなかったんです。マジで。

だから、プレゼンすればわかると思いますが、僕が吹奏楽でソロを吹く時は震え具合が尋常じゃないんです。

生徒C　尋常じゃない!?

生徒E　震えじゃなくて痙攣《けいれん》に近い。すごく緊張します。だから、ソロは嫌です。失敗したらどうしようとか思ってしまう。一人で立った時、他の人のせいにできない。逃げ場がないという感じ。

生徒G　人のせいにするの!?

生徒E　逃げ場がないって本当に怖い。

生徒G　自分で責任を取らないといけない。わかる、人間はみんなそうよ。

生徒C　数人いたら人のせいにすることは全然あるね。

生徒E　やばいなと思ったら僕すぐ逃げます。今こうやって話せるのは、僕一人じゃないからです。僕が話していることをみんなが聞いてくれるからです。この学校に入ってからたくさんのチャンスがあった。最初に僕がプレゼンテーションを経験したのは、中１の時の「読書プレゼン」。その時も、僕はめちゃめちゃ緊張して、なかなかうまくできなかった。その時、一学年上の先輩のプレゼンがめちゃめちゃ上手だった。

生徒C　元バスケ部で学級委員長だった先輩ね。

生徒E　そうそう！　僕も「ああなりたいな」と思って、それがプレゼンテーションを積極的にやるきっかけになった。この学校に入って一番よかったことは、発表の機会が多いことです。「理数インター」がなかったら、あるいはこの学校に入っていなかったら、相変わらずソロでは震え出し、みんなの前で話す時も震えてしまっていたと思います。

そう考えると、先ほども触れたけど、オポチュニティーとか機会が、この学校にはたくさん用意されている。僕は中1、中2で「読書プレゼン」を行い、中2の時には「英語プレゼン」も行った。今年は内部選考があり、そこでもプレゼンをやりました。アジア研修旅行では委員長も経験したし、たくさんの機会にチャレンジできる環境がある。

米澤　自分でチャンスを拾う。自分の意思で拾っているわけでしょ？　それをしっかりとやり遂げているのは自分自身。それは偉いよ。フツーの中学生の君たちが教科「理数インター」での学びでこんなに成長している様子を目の当たりにすることができて嬉しいですね。

●富士校長からひと言

「アクティブラーニング」というコトバが出始めた頃だと思います、米澤さんに教科「理数インター」創設に取り組んでもらいたいと思ったのは。その頃(も今も)「アクティブラーニング」のための教員研修のお知らせが、よく届きました。でも、「アクティブ」と言っているのだから、他人に教わるものではないのでは。一から自分で考えようとする人でないと、スタートできない。

言うは易し、行うは難しとはこのことで、オリジナル教科を生み出すのに、たいへんな苦労を担ってもらったと思います。「生徒指導」を「生徒支援」に変え、「進路指導」を「進路支援」に変え、「入試広報」は生徒がマイクを握る機会と考える。そういう「学校改革」も、教科「理数インター」の創造と同様に、私たち教員なりのアクティブラーニングだったという振り返りを、米澤さんらしい記録に付け加えたいと思います。

3 自分の思いを伝える読書プレゼン

金子忠央（国語科教員）

★ 本を読む楽しさ

「読書は大事だよ」「ゲームばかりやっていないでもっと本を読みなさい」……。学校や家庭で、こんなふうに言われたことはありませんか？

小さい頃から本を読むのが大好きという人もいれば、読書はちょっと苦手だなと思う人もいるでしょう。本を読むよりもゲームをやったりスマホで動画を見たりしているほうが楽しいよな……という人も多いかもしれません。

読書ってなんのためにするのでしょう。

私は、中学・高校生たちに本を読む楽しさを味わってもらいたいと思って、本を読みやすい環境を整えたり、読書を楽しめる授業を工夫したりしてきました。ここでは、「私もちょっと読んでみようかな」と思ってもらえるように、これまで続けてきた読書の取り組みについてお話ししたいと思います。

まず、本題に入る前に、そもそも他の人たちはどのくらい本を読んでいるのかということについてお話ししましょう。

全国学校図書館協議会の「学校読書調査」で、小・中・高の子どもの不読率（１か月で読んだ本の冊数が０冊と答えた生徒の割合）を調べています。

それによると、小学校まではだいたい５％前後で読書の習慣が定着しているのに、中学生の不読率は15％前後に増え、さらに高校になると不読率が50％を超えていて、中学生のときから次第に本を読まなくなるということがわかります。読書が教育にとって必要か否かいろいろな考え方があると思いますが、文字だけの情報から頭のなかで映像を想像し、感情を動かすという人間の高度な認知能力や子どもの成長段階に応じた読書の効果などを踏まえると、やはり読書は子どもにとって大事な学びであると私は考えています。

そもそも「学び」にもさまざまな形がありますが、最も大切なのは、どれだけ本人が主体的になれるか、ということです。本の世界に自ら没頭していきながら、そのなかで言葉の使い方や社会のさまざまな出来事を知り、想像力を養うということは、読書以外の方法ではなかなかできるものではありません。

私は次の2点が子どもの読書にとって重要だと考えます。

① 学校における「読書指導(読書支援)」

② 読書に対する大人の意識改革

調査の結果から、子どもに読書を定着させるには、中学校生活のなかで、読書に親しむ経験を増やしていくことが大切だと考えられます。この時期に学校で何もしなければ、子どもたちは自ずと本よりもスマホなど他の魅力あるツールに目が向いてしまうでしょう。では、学校は何をすればよいのでしょうか。

たとえば図書室(学校図書館)を魅力的な場所にするというのはどうでしょう。また生徒を主体とした図書委員の活動を活発にするというのもよいかもしれません。そして、もちろん授業での取り組みも必要です。

★図書室を知的で開放的な広場に

私がこの学校に赴任した当時、図書室はあまり生徒に使われている様子がありませんでした。カウンターの前には大きな段ボール箱が何箱も積み上げられたままの状態でした。なんと、その段ボール箱の中身は整理されていない図書室の本ではなく、机やロッカーに収納しきれないある教員の私物でした。また、生徒が組織する委員会のなかに、他校であればどこにでもあるであろう「図書委員会」もありませんでした。

そこでまず取り組んだのは、図書室を魅力的にして生徒が本と出会う場所にすることでした。図書委員会も作り、教員や司書や図書委員の生徒たちの意見やアイデアを取り入れて、図書室に生徒が来てくれるようにさまざまな工夫をしました。

たとえば、図書室に新しく入った本や話題の本を「新着書籍」「話題の本」などとして目立つように展示する、テーマを設定して教員や委員に好きな本を選んでもらい、「図書委員の紹介したい本」「〇〇先生おすすめ図書」などとしてカラフルなポップを作り、おすすめコメントを付けて棚に並べる、などです。「1学期の貸し出しベストテン」を壁面に大きく張りだしたりもしました。他校の図書委員会の生徒を呼んで合同でブックトークも行っています。

図書委員の生徒たちを中心に活動も活発になり、いまでは居心地のいい図書室になりました。

また、図書委員の生徒が本についての発信をしていけるようにしようと考え、「図書だより」の作成を始めました。図書委員のこだわりの作品についての記事をまとめ、全校に発信することにしたのです。

さらに、読書はまず大人が範を示すべき、と考え、「先生方からの本にまつわるエッセイ」を発行することにしました。これをわざわざ「エッセイ」にしたのは、先生方にも読書にまつわるストーリーがあるはずで、作品のあらすじに限らず、その作品との出会いや挫折、作者への思いなど、その先生ならではの語りを生徒に見てほしかったからです。最初に校内の先生方に呼びかけた時点では、なかなか記事が集まらず、1号目にしてはやくも中止かと危ぶまれましたが、趣旨に賛同してくださる先生が少しずつ増え、もう5年にわたって発行を続けています。これは生徒だけでなく保護者の方にも好評をいただいています。

★読書プレゼンをやってみた

次に、授業のなかではどんなことができるかお話ししましょう。

「読書指導（読書支援）」と言ったときに、たとえば読書感想文を書かせるという方法があります。確かに読書感想文にはメリットがあります。個人で本を読んだときの感覚や印象は人それぞれに違っていいはずで、その感覚や印象を生徒それぞれの言葉で表現するという過程はとてもいい勉強になるかもしれません。ただしその効果を得るためには「書き方」から学ぶ必要があります。最近ではインターネットに感想文が載っていて、それを書き写すようなこともあるようですが、これでは意味がありません。

また、ただ感想文を書いて提出するだけでは、生徒同士の共有ができないという問題もあります。みなさんは、同じクラスの友達が何の本を読んで、どんな感想をもったのか、知りたいと思いませんか？

生徒同士がそれぞれの読書体験を共有し、互いに学び合える機会ができれば理想的だと思います。どうすれば生徒にとって効果のある「読書指導」ができるのか、試行錯誤を重ね、アイデアを工夫する日々が続きました。

ちょうどその頃、富士校長から「プレゼンテーション・コミュニケーションの場を作ってもらいたい」と言われました。そのときにパッと閃《ひらめ》いたのです。「読書指導」と「プレゼンテーション」をひとつの方法で実践することはできないかと。そこで考えたアイデアが「読書プレゼン」です。

生徒同士のコミュニケーションの形式にして本を紹介しあうことで、授業だけでなく、課外での読書についての対話も生まれるものと考えました。教員よりも同年代の生徒が読んでいる本のほうが、「よし、自分も読んでみよう」という気になるし、同じ本を読んでいれば、それが会話の糸口となり、親しみを感じて相手のことをもっと知りたいと思うようになるかもしれません。

最近はビブリオバトルという書評合戦が行われるようになっていますが、「読書プレゼン」はビブリオバトルより時間が短く、プレゼンの内容や評価の方法が少し違っています。

この「読書プレゼン」を導入するにあたり、以下の点に気をつけました。

そもそも人前で話すことに慣れていない生徒が多いので、最初はプレゼンの「型」を渡すことにしました。この「型」にある程度定型の原稿を載せておき、空欄部分を作っておくのです。そこに自分で考えた言葉を入れていくとプレゼン原稿が作成できるというしくみです。

たとえば、型のなかでは「その本と出会ったきっかけ」「最も印象に残った場面とその理由」「その作品の主題」をまとめられるようにしました。最初に「きっかけ」をもってきたのは、本との出会いには人それぞれにさまざまなエピソードがあり、家族の紹介や友人の紹介、自分で見つけるなど、すでにそのなかにその人自身の生活や価値観を含むストーリーがあるからです。

「印象に残った場面」は、本の内容すべてを紹介することは難しいので、読んだ人自身の印象に残った部分を紹介してもらうことにしました。聴いている人はその作品に少し興味をそそられ、すでに同じ作品を読んだことのある人は、自分と同じ箇所で印象に残っていれば共感するし、異なる箇所なら意外に感じ興味をもつことになります。

「主題」を最後にもってきたのは、作品全体の要約をしてもらうためです。小説にしろ評論にしろ、作品にはそれぞれにひとつは主題というものがあります。主題を考えるということは、あらすじをまとめることとは異なり、「その本を通じて結局どういうことが書かれているのか」を考えることになります。

このように、「読書プレゼン」の原稿を作ることで、ひとつの本からさまざまな視点での思考ができるのです。

さらに、プレゼンテーション・コミュニケーションの主役は、発表する人だけではありません。聴衆側はただプレゼンを聴くのではなく、「傾聴シート」というワークシートへ発表ごとに「その本をどれぐらい読んでみたいと思ったか」という基準で採点をしてもらいました。教員からの評価ではなく、生徒同士による評価にすることで、聴衆も当事者意識をもつことになります。それによって他者のプレゼンを興味をもって聴くようになり、他者のプレゼンの良いところを自分のプレゼンにも取り入れてみたり、自分もよい評価を得ようというモチベーションにつながるのではないかと考えました。

★よいプレゼン、悪いプレゼン

実際に中学の国語の授業で読書プレゼンを始めてみると、意外な発見がたくさんありました。

思いのほか生徒それぞれに思い入れのある本が多く、個性豊かなプレゼンテーションを見ることができたのです。

たとえば、『風とともに去りぬ』のように、中学生がこんな本を読むのかと思うような大人っぽい作品を選んでみたり、「私は今まで「いい子」でいることばかり考えていました」と大人をどきっとさせるようなことを言ったりと、いつもは教室で悪ふざけをしているような生徒たちが、ふだんの生活のなかでは見られないような一面を見せてくれることもありました。

原稿を事前にきちんと作る、いわゆる真面目な生徒が必ずしも高評価を得るわけではないということも新鮮な発見でした。ときにはいわゆる「きちんとしていない」生徒のほうが、聴衆を聴き入らせるプレゼンをしてくれるということもありました。それはおそらく、その生徒がその場の雰囲気や、聴衆の反応を見て、その場で言葉を選べたからこその結果でしょう。

プレゼンテーションというのは、自分の意見を一方的に伝えるものではありません。相手からの反応にもきちんと応え、互いにある種のキャッチボールをしながら行うものです。その意味で、事前に作成した原稿を読むだけではよいプレゼンはできません。もちろん事前に何も考えず、本当にその場の思いつきで乗り切ろうとする手抜きのプレゼンも聴衆から評価を受けることはありません。やはり高評価のプレゼンは、事前にある程度プレゼンの骨組みを考えたうえで、実際のプレゼンでは視線を聴衆に向けて、ときに呼びかけたり、間を効果的に取ったりして、聴衆が聴きたくなるように話すことが必要です。

ただ、読書プレゼンで本当に必要なのは、そのようなプレゼンのテクニックだけではありません。なかには口下手《くちべた》であったり、人前では緊張してうまく話せなかったりして、流暢《りゅうちょう》に発表をすることができない生徒もいます。周りで見ていてハラハラするような不器用なプレゼンであっても、その生徒に何かを伝えたいという気持ちがあると、不思議と聴衆には伝わるものです。読書プレゼンに取り組む生徒たちの姿を見て、プレゼンが「生」のものであり、いかにその場を作ることが重要かということがわかったとともに、やはり「読書プレゼン」は面白いという実感を得ました。

★「読書プレゼン」とは実は「自分プレゼン」だった！

こうして、読書プレゼンは学校文化のひとつとなり、国語科の授業だけでなく、さまざまな機会に行われるようになっていきました。

たとえば文化祭。各クラスから代表者2名ずつを集め、文化祭で「読書プレゼン決勝戦」という形で実施することになったのです。その際、司会や誘導、集計などの運営は図書委員の生徒が行い、なるべく教員は手を貸さないように実施しました。どの生徒も緊張したなかでのプレゼンでしたが、文化祭で大勢の聴衆を前に本について語るなどということは、通常ではなかなかない経験なのではないでしょうか。

この「読書プレゼン」を始めてから5年が経過しました。最初はどこまで生徒が主体的にかかわってくれるかと心配していましたが、この読書プレゼン決勝戦で毎年優勝することを目標にする生徒まで現れ、優勝できなければ涙を流すほど悔しがる姿も見られて、そこまで思い入れをもってくれる生徒が出てきたことに驚いています。今後は聴衆からいま以上に多くの質問が主体的に出てくるようになると、より双方向的なコミュニケーションを醸成することができるだろうと思っています。

ここまで見てくると、「読書プレゼン」とは、ただその作品の内容をプレゼンテーションするだけではなく、その作品の紹介を通じてその人自身の個性が伝わるものだと確信しました。

その人が人生を歩んでいるなかでその作品に出会い、作品の登場人物や作者に対して自分の経験を重ね合わせて共感を示すということは、自分自身についてのプレゼンにもなるのです。しかもプレゼンをする当の本人は、まさか自分自身をプレゼンしているとは思わないいた

め、自己紹介をするときに伴う気恥ずかしさを抱くことなく、実は自己と向き合った結果をプレゼンすることになります。

つまり読書プレゼンとは、「本を語る」のではなく「本で語る」ものだと言えるのではないでしょうか。読書が好きかどうかということよりも、読書を通してどのように自己を見つめるのかということが重要なのかもしれません。読書とは自分を見つめるためのツールのひとつとも言えるのではないでしょうか。

そういう意味では「読書プレゼン」とは、自己を確立する中学の3年間にうってつけの取り組みであるし、高校生活においても導入してもよいのではないかと思っています。

あるとき、富士校長が、読書をプレゼンしてくれる生徒を集めて、図書室で雑談会をやろうと呼びかけたところ、中学生・高校生、男子・女子に偏ることなく何人もの生徒が集まりました。

放課後、その雑談会では、どの生徒も各自のおすすめしたい本への思いを熱く語ってくれ、またプレゼンされた作品に対する質疑応答も白熱しました。予定時間を延長してしまうほどで、まるで部活動のようでした。

本を一人でじっくり読むのもよいですが、こうしてみんなと読書体験を共有したいという思いをもつ生徒も多いのかもしれません。ここで紹介した方法が功《こう》を奏《そう》しているかはわかりませんが、読書に対して強い興味をもつ生徒が本校で確実に増えているという実感を得た日でした。


宝仙学園中学には、10種類もの入学試験があります。子どもたちのさまざまな可能性を探りたいと思っているうちに、入試方法がどんどん増えてしまいました。新たに「読書プレゼン入試」というものも導入されました。「読書プレゼン入試」では、自分のおすすめしたい本をプレゼンしてもらいます。面接する教員はその本に関する質問をしますが、その際、作品そのものへの質問だけでなく、その子の読書経験や他の作品に対する理解、関心なども聞くことにしています。

読書量と学習成果に関係性があるのか、本を読めば読解力が向上するのかはわかりません。「読書が何の役に立つのか?」と聞かれれば、「○○の役に立つ」と具体的に答えられるわけでもありません。読書プレゼンで、自分の好きな本について楽しそうに語る生徒の姿を見て私が感じるのは、「本を読むっていいな」「本を通して自分の思いを伝えるって楽しいな」ということです。

最初は手探りの状態から始まることになった「読書プレゼン」ですが、いまもまだ完成しているとは思っていません。これからも、もっと子どもたちが本を好きになり、図書室が生徒にとって知的探究心を満たせる場所になるように、取り組んでいきたいと考えています。

みなさんも、読書プレゼン、やってみませんか？

●自分の好きな本について話そう！

中学生・高校生たちとの読書雑談会

※ある日の放課後、「自分の好きな本について自由に話そう」という富士校長の発案で、図書室で読書雑談会が開かれました。集まったのは中学1年生から高校2年生までの12人と富士校長。ここではこの場で語りあった内容の一部を紹介します。

★高校1年　Wさん『きみに届け。はじまりの歌』（沖田円、スターツ出版）

私が紹介したいのは、沖田円さんの『きみに届け。はじまりの歌』という本です。沖田円さんの作品には小学生のときに出会って、それ以来本屋さんにある沖田さんの本を読み漁っているんですけど、この本は中学2年生か3年生くらいのときに出会いました。

この本のテーマとして「自分らしさ」があります。私はこの本に「救われた」という瞬間がありました。というのも中3のときに大好きだったバスケ部を辞めて、高校で新しいことをやってみようと決断したからです。バスケ部も大好きだったし、大好きだったからこそ、その決断をしたんですけど、この決断が正しかったのかなとか、この選択は自分らしかったのかなとか思うことがあって、切り替えたと思っても自分なりに悩んでいたように思います。

主人公はボランティア部に所属していたのですが、その部がもうすぐ廃部になると聞いて最後に何かできることをしようと部員と一緒にバンドを組んで地元のステージに立つことを決めました。もともとこの主人公は歌うことが大好きだったんですけど、父親に現実的な仕事に就いて、夢ばかり見ないようにと言われてからは幼馴染《おさななじみ》の前でしか歌を歌わなくなってしまっていました。

主人公はこのチャレンジをきっかけに、これまで閉じ込めてきた歌への情熱が爆発して、自分はやっぱり歌手になりたいんだと気づきます。そのなかで私が感じたのは、実は自分らしさって自分でもよく分からないし、どんなふうに選択してもこれが合っているって確信はないし、みんないろんな選択をして、そこでみんな悩んでいて……。

そこで、私が思ったのは、何をしても、そのとき自分が、それがいいと思ったことが、自分らしさなんだと。私は人にあたったり、迷惑をかけたりもしてしまったけど、「ああ、でもこれで良かったのかな」と少し思うことができました。
ストーリーは現代っぽいところもあります。アプリが出てきて自分にそっくりな人とチャットしたり、物語のなかで、ステージで歌った曲の歌詞が本に書いてあるんですけど、調べると実在しているバンドの歌で、YouTubeで実際に聴けるんですよ。本を読んで、音楽を聴いて、畳み掛けられるようにさらに現実味が増して、自分だけではなくてみんな悩んでるんだなって、自分ももっと前に進んで行きたいって思いました。
自分を支えてくれる本だと思うので、みんなもぜひ読んでみてください。

〈生徒コメント〉

Aさん　Wさんはバスケ部を辞めて何に挑戦しましたか。

Wさん　バスケ部も新設の部活も生徒会もあって……、両立できてるのかなと思うところもあって、生徒会でがんばろうと。あとは歌も好きだったので、自己流だけでなく、習いに行ったりギターを弾く機会を増やしたりして、チャレンジと、自分らしく好きなことに使う時間を増やしています。

富士　これは、私の一冊という感じでしたね。

★中学2年　Iさん『夜と霧』（ヴィクトール・E・フランクル、みすず書房）

これはノンフィクションで、作者が昔ナチスの収容所に入っていたときの話です。なんでこの本を読んだかというと、ドイツのサマースクールに行ったときに、これの一部を題材にして、討論したんです。そのとき、ナチスは非人道的なことをしてひどいっていう意見が大半だったんですけど、この本のなかでは、ガス室で人を殺したのも人間、悲しんだのも人間みたいな箇所があって、そこにすごく共感しました。

これを読んで、近いなって思ったのが、最近のオーストラリアの森林火災。森林火災って聞いたら自然災害なのかなって思うけど、その原因は人間が起こした地球温暖化だと思うと、人間がしたことによって、人間が苦しめられていると。日本も大きな事故があったのに、まだ原発に頼っている。

人間は人間がしたことに苦しめられていると考えると、自分がおこなう行為を考えさせられるなと思いました。この本では収容所の詳細も書かれていて、それがすごく印象に残っています。1回読んだときには難しくてあまりよく分からなかったのですが、2回目を読んでいろんなことを考えました。

〈生徒コメント〉

富士　この本から汲《く》み取ったものが、オーストラリアの森林火災とか原発とかに広がる読み方が、すごい読み方だなって気がしました。どうして2度読んだの？

Ｉさん　最初は書いてあることを事実としてだけ受け止めてそれ以上何も思わなかったけど、2回目に読んだときに、自分や現状に当てはめたり対比させてみたりできるかなと思いました。

富士　じゃあ君は2度目に読んだときに、オーストラリアのこととかを思ったの？

Ｉさん　はい。

・・・・・・・・・・・・・・・・・・・・・・・・・・・・・・・・・・

★　中学2年　Mさん　『NO. 6(ナンバー・シックス)』(あさのあつこ、講談社)

私が紹介するのは、あさのあつこさんが書いた『NO. 6』です。この作者のあさのさんは、読んだことがある人は分かると思うんですけど、柔らかめの世界観、日常を描いているような印象だったんです。この本を読んだとき、私は中学受験を控えた小学5年生で、国語の問題でよく、あさのさんの文章が出てきて、問題を解くと外れていることが多くて、あさのさんのことが嫌いになってしまっていました(笑)。

私のイメージでは原っぱに自転車が置いてあるような、ふわふわ〜って感じだったんですけど、この本はあさのさんのイメージをガラッと変えてくれる本で、戦車みたいな、暴力的な表現とかもたくさんあって、あさのさんのことを舐《な》めてたなって(笑)。

主人公は、紫苑《しおん》くんという少年で、すごくIQが高いので、ナンバー・シックスの世界では特別扱いをされています。ナンバー・シックスの世界は、人間の世界が滅亡の危機にさらされていたときに、自然環境が豊かな土地にみんなが逃げ込んでそこだけで暮らしているっていう設定です。科学技術が進歩している場所は、町の中心にあって、その外側は荒れ果てた地域で、中心に行けば行くほど、知能が高い人しか住めないってことになっています。なので、紫苑くんはその中心に住んでいます。そこにネズミっていう少年が登場して、この人は凶悪犯罪者ってことで追われていて紫苑くんの家に逃げ込んできます。

紫苑くんは外のことを全く知らなくて、初めて見たこの人(ネズミ)に惹かれるんですね。それでこの人の逃亡劇についていくことになって、外の世界を見てとてもびっくりする。その反応も面白いです。住む環境で、こんなにいろんなことが変わるんだというのにも驚きました。

見所は主人公の成長で、最初は知能が高いだけの色白で線の細い少年なんですけど、自分の力で道を切り開いていったり、自分の意見をもっていったりすごく成長しているなと思いました。2人で冒険していくうちに、この人が住む町(進歩した町)の秘密、町の管理者が悪いことをしていると知るんですけど、その悪いことが結構グロめな内容なんですけど、そこも魅力的でした。

もうひとつの見所は、ネズミと紫苑の関係が変化して友達になっていくところです。『バッテリー』の友情とは比べ物にならないくらいで、涙するって感じです。友情が生まれるまで厳しい道のりがいっぱいあって、痛い思いもたくさんするし、死にそうにもなるんですけど、そのたびに「がんばれ!」って言いたくなる本です。

私は中学受験のときに読んでいたので、がんばって生きている姿を読んで、私も明日もがんばろうって、はげみになっていました。何を学んだかっていうと、特に何も学んでないんですけど、楽しい時間、とにかく引き込まれます。もう周りの情報をすべて遮断《しゃだん》されるんです、これを読んでいると。私はこれを塾に行くバスのなかで読んでいたんですけど、乗り過ごしました。耳からの情報も聞こえなくなります、これを読むと。すごい本です。

〈生徒コメント〉

Dさん　中２でこんなに上手いプレゼンができて、すごくうらやましいです。

富士　なんだか臨場感が伝わってくるよね。

★　高校１年　Sさん　『人間失格』（太宰治）

なんでこの本を読んだかというと、太宰治と誕生日が一緒で、ちょっと縁を感じて読んでみました。

私この本に出てくる学生時代の部分に分かるなって部分がありました。人っていい子に思われたいじゃないですか。いい子って思われるためにちょっと嘘ついたりするじゃないですか。子どもって嘘《うそ》が上手になっていくなって。

それで大人から「この子っていい子だよね」って言ってもらえるのは嬉しいけど、その大人が言っているいい子って誰なんだろう？　と思って。嘘ついているから、私じゃないことは確かですけど、でも大人は私に向かって言っているんですよ。そういうところを見たときに、自分は自分として生きているのに、なんで嘘つかなくちゃいけないんだろうとか、なんでいい子って思われなくてはいけないんだろうっていうのをすごく考えさせられました。

身近で考えれば、ツイッターとかインスタとか、「いいね！」がほしいからこういう所に行くとか。絶対そんな生活してないじゃんって思われるのに「いいね！」もらって嬉しいのはなんで？　って。

何か起こさないと気づいてもらえないからそういうことをしてるんだけど、なんでそこまでして評価を得たいのかなぁとか、すごく考えさせられる話でした。

少し前に見た哲学の実験を思い出して、森のなかで木が倒れるとパタンて音がするじゃないですか。でもその音が人に聞こえなかったら、他人からしたら、その木は存在していないのと一緒なんですよ。だからそれと一緒で、自分が何もしなかったら何も気づいてもらえないから。

あまり考えがまとまってないんですけど、なんで生きているんだろうって考えさせられたし、なんでこうやって私はちょっと人の目を気にしながら生きているんだろうとか、人間がそのままで生きてるってことを隠す必要があるのかなって、社会に対する疑問とかそういうのを感じました。

〈生徒コメント〉

Jさん　Sさんは自分を偽って見せる行為を正しいことだと思いますか。

Sさん　間違っているとは思わないですよ。だって悪くある必要もないから。良いって思われたほうが自分に良いこともあるから。でも自分を殺してまで、いい子である必要はないと思う。人それぞれ感性とかも違うし、全部ひとつにする必要はないなって思いました。

富士　隠し事なく、自分の思いを誠実に伝えようと思っているんだなぁと思いました。こういう対話でないと、こういう思いは伝わらないな、多分。本音が言える関係性でないと、何かを伝えたり渡したりできないのではないかなと、そんな気がする。

★ 中学1年　Kさん　『危ない間取り』(横山彰人、新潮社)

私は『危ない間取り』っていう本を紹介します。建築の間取りって、ある一定の条件を満たせば自分が好きなように設計もできるし、広さも家具の配置とかもすべて自分で設定できるので、それが私が一番好きな理由です。フリーで、無限の可能性があるので、そこに魅力を感じて、こういう建築関係の本を読むようになりました。でも自由だからこそ、犯罪の現場とかに利用されたりして、裏の顔みたいな感じで面白いなと思いました。

この本のなかで、ある実験について書かれています。高層マンションの高層階に住んでいる子どもたちと、低層階や一戸建に住む子どもたちにカメラを渡して、自分の1日を撮影させるというものです。その結果、高い層にいる子どもが撮った写真は、テレビの画面や家から見下ろした景色など、自分が居る場所からの写真でした。低層階の子どもたちは、近所の樹木や花、虫、動いている人といった広がりのある空間を撮っていました。感情がすごく豊かだなぁって、やっぱりちょっと違うなぁって思ったんですね。

家って、地域の文化によって違っていて、日本もかつては土とか草とか自然のものを使ってつくっていたんですけど、現代はプラスティックとかコンクリートとか人工的なものになって環境悪化につながっています。昔の家の造りは、リビングを中心として、玄関やお風呂や寝室があったんですけど、今はどうですか。ちょっと自分の家を思い浮かべてください。

私の家は、玄関のすぐ脇に階段があって、扉もあってって経路が分かれてしまっているんです。リビングを通らずに自分の部屋に行くこともあるし、家族と顔を合わせずにお風呂に行くこともあるんですね。昔より家族と触れ合う時間が少なくなっていて、そこも今の日本の家の特徴かなって思います。

上手く家の構造をつくれば、感情も豊かになるし学力も向上するというデータも出ていま す。一方で家庭のトラブルとかを招きかねない。そんな自由度が高く、危険も招きかねない建築に興味をもってもらえたら、このスピーチに誇りをもてます。ぜひ、この本を手に取ってみてください。

〈生徒コメント〉

富士　はじめ書名を見たとき、小説かと思った。むしろ、評論だね。

Kさん　そうです。家も学校も身近すぎて意識しないと思うんですけど、建築的な目で教室を見たり、校庭を見たりすると面白いです。

Gさん　日本と西洋の家の構造って違うと思うのですが、どちらが好きですか。

Kさん　私は古代からあったようなものが好きです。放っておいたら土に返るような。

富士　やっぱり建築って思想なんだろうな、機能ではなくて。そういうのを摑んだんじゃないかな。

……………………

●富士校長からひと言

金子さんが中心となって読書環境を整えてくれたので、読書プレゼンに意欲のある生徒たちってそもそもどんな人たちなのか、対話してみたいと思いました。これはコンテストではありません。好きな本について好きなように語ってもらうなかで、その人と交信してみたいという企画です。終えての感想。彼ら彼女らは、一人の世界が好きな人たちかと思っていたら、さにあらず。本を語ることで、思いを伝えたい。その本と自分との接点を理解してほしい。他の人の本との接点も知りたい。そういう人たちでした。

中学1年生から高校2年生まで、12人＋私が、直前にくじを引いて順番を決めた読書雑談会。

オオトリとなったのが、最年少の中1女子。落ち着いて発表しているように見えましたが、本人は「超キンチョー」していたとのことです。でも、この1年間で、自分が一番成長実感をもてた時間だったとのこと。この企画を試みてわかったことは、読書人は、男女も先輩後輩も国籍の隔てもなく、「私の一冊」を通してつながっているということです。

4 フツーのＪＫが世界大会まで出場しちゃいました!!

氷室　薫（女子部ダンス部顧問）

★無我夢中の10年

２０２０年。今年、女子部ダンス部10年目を迎えることができました。

昨年はHIPHOPダンスの世界大会であるWORLD HIPHOP DANCE CHAMPIONSHIPのメガクルー部門（人数15～40名まで、年齢性別、プロアマ問わず）に高校ダンス部初となる出場を果たし、11月には『ＦＮＳ27時間テレビ　にほんのスポーツは強いっ！』（フジテレビ）のグランドフィナーレにも出演しました。新体制発足当時からは想像もつかなかったようなことを次から次へと実現していけるような部活に、気がつけばなっていました。

初代ダンス部のメンバーは毎回「次はこれに出演するよ」と言う度に「私たちの時からは

想像できない!!」とびっくりしてくれます。最近はだんだんそれにも慣れてＯＧたちも「次はどんな凄《すご》いことをしてくれるのかな？」と、ワクワクしながら待ってくれるようになりました。

この10年でダンス部に何が起こったのか？　何か特別なことをしたわけではありません。最近はようやく優秀なコーチに来ていただく機会も増えましたが、それはつい最近の話。それまでは「熱量だけは負けない！」先生とダンス初心者集団の物語であり、特にそこに大きなマジックはありません。

笑いあり涙あり、無我夢中のうちにすぎた10年を少しずつ振り返りながら、皆さんが少しでも共感したり「なるほど」と思えることがあれば幸いです。

★自分を変えるためにダンス部に！

冒頭にも書いた通り昨年、世界大会出場という大きな「夢」を叶えることができました。きっと皆さんは「フツーのＪＫと言っているけれど、実はほとんどがダンス経験者じゃないの?」と懐疑的だと思います。いやいや、本当にフツーのＪＫなのです。ということで、最初はダンス部にどんな生徒が入ってくるかというところからお話をしたいと思います。

うちのダンス部に入ってくる生徒の入部理由は大きく三つに分けられると思います。

一つ目は「ダンスを習っています、もしくは過去にダンスを習っていました。高校でもダンスがやりたいです」という分かりやすい理由です。

多くは幼稚園や小学校の時からダンスを習っていて中学校では部活に入りダンスを中断、高校からまたダンスをやりたいと思った生徒です。非常に分かりやすいですが、このような生徒が増えたのはつい最近です。それでも基本2〜3名、多くて5名くらいです。

ダンス部は1年生17名、2年生22名、3年生16名の計55名(2019年度)。そのうちダンス経験者は全体の20%くらいです。実はそんなに経験者は多くないのです。

二つ目は「アーティストやアイドルに憧れてダンスをやってみたい」と強く希望をしている場合です。「高校からダンスをしたい」と明確な目的をもっています。

今までは見る側だったけれど踊る側になりたいと思っている生徒で、中学の時にバスケ部やバレー部、吹奏楽部に入部していたケースが多いです。ダンスに対しての興味はあり、日頃からYouTubeやインスタグラム、TikTokなどのＳＮＳでダンスをよく見ているため、飲み込みも早くポテンシャルも高いです。これが全体の50〜60％ぐらいを占めます。

最後、三つ目です。これはもしかしたら一つ目と二つ目の理由の生徒も心の奥底では思っていることかもしれません。三つ目は「高校から自分を変えたいから。今までの自分が嫌い」という理由。この理由で入部してくる生徒は3年間で大きく「化ける」可能性を秘めていることが多いのです。

コミュニケーションや人の前に立つことが凄く苦手……、でも、人前で踊りたい、自分に自信をもちたいと強く思っている生徒たちです。中学の成績も真ん中、可もなく不可もなく、凄くほめられることも凄く怒られることもなく、なんとなく中学校生活をやり過ごし、なんとなく高校生になってしまった。しかし、このままではいけない、どこかで自分を変えたいと中学時代のリベンジを心に密かに秘めている……、まさしくフツーのＪＫです。

この三つ目の理由をもっている生徒を伸ばしたいというのが、私の一番の想いです。ダンス部に入部してくる生徒はみんなダイヤモンドの原石です。ただ、自分がダイヤモンドの原石と自覚していない生徒がほとんどなのです。まずは自覚すること。それがすべてのスタートです。

フツーのＪＫが自分の可能性を自覚し「覚醒《かくせい》」したら無敵かもしれません。なぜなら彼女たちは元気いっぱいでパワフルで勇敢で、大人たちの何倍ものスピードで進化できるのですから。

では、次にどうやってフツーのＪＫが自分の可能性を「自覚」し、みんなで世界大会にいっちゃおう！　という気持ちにまでなったのかを掘り下げていきたいと思います。

★ 荒野に花を咲かせましょう！
――ダンス部の土台はレボリューション魂

ダンス部のコーチになった時、私はまだ22歳。当時の高校3年生とは年齢が四つしか変わらず新任でもあったため、先生というより年の近いお姉さんのような感覚だったと思います。先生としての威厳はまだなく、年の近い生徒をどう指導していけばいいか悩みました。上から目線で言える年齢でもなく、生徒のほうが学校の事情に詳《くわ》しい。こんななかでどう生徒からの「信頼」を得るのか。そんな時、私がお手本にしたのは私のダンスの先生たちでした。

私は高校1年生の時にHIPHOPダンスに出会い、ダンススタジオに通うようになりました。高校時代の私は絶賛反抗期中《ぜっさんはんこうき》。「大人」「先生」「社会」「常識」といったものに悶々《もんもん》とし、ありあまったパワーをどこにぶつけたらいいか分からない、反骨精神むき出しのごくフツーの高校生でした。

親の言うことは聞かない。大人も嫌い。でも自分を認めてほしいという面倒なタイプの人間。そんな時、寄り添ってくれたのがダンスの先生でした。自分が大好きなダンスで尊敬できるだけではなく、私を「大人」扱いし、何時間でも話を聞きアドバイスをくれ、時には親よりも厳しく叱《しか》ってくれました。

先生と生徒という立場ではありましたが、一人の人間として認めてくれているというのが私は凄く嬉しかったです。次第に自分の考えがまとまり、両親の言うことも「なるほどな」と聞けるようになりました。

一緒に頑張ってくれる大人、承認してくれる大人の存在は、高校生の成長にとって大切なのではないかと自分の経験から考え出しました。上から「こうしなさい」「ああしなさい」ではなく、「一緒に変えていこう」「成長しよう」「私も頑張るから君たちも頑張ろう」というスタンスでダンス部のコーチをやろうと決めました。
新米のコーチにいきなり「今までの部活を変えたい」と言われたら生徒はどう思うでしょう？　実際、賛否両論あったと聞いています。ただ、その時の部長と副部長が、よく分からない私の提言に「やりましょう」と賛同してくれました。

当時のダンス部は問題が多く、問題児が集まる部活というような悪いイメージもありました。また、流行りのK-POPやJ-POPを完全コピー、いわゆる「完コピ」が中心、自分たちで「オリジナル」のダンスをつくることはほぼなかったのです。ただ、「オリジナル」に対しての憧《あこが》れはあり、自分たちでつくってみたい、でも方法が分からないという状態でした。

そのような背景があって私の提案に乗ってくれました。その勢いのままに、私はダンス部に「REVOLUTION《レボリューション》（革命）」というスローガンを掲げます。自分たちの力で今の状況を変える経験をしてほしい。環境は自分が変わることで変わるということを実感してほしい。そんな強いメッセージを込めました。

そこから5月の体育祭に向けて本当に必死に頑張りました。私は音源作成、衣装集め、振りづくりをし、生徒たちは初めての振り付けを一生懸命覚え、難しいフォーメーションを覚え、時に私から厳しい言葉をかけられながら一致団結しました。一緒に汗をかき、一緒に楽しみ、一緒に悩みました。大人の本気を見せたことで生徒たちも諦《あきら》めずに最後までついてきてくれました。

そして、迎えた本番。今までのダンス部とは違うパフォーマンスに、先生方や生徒のみんなが「凄いね」とほめてくれました。当時の教頭先生に「新しい風が吹いたわ」と言っていただいたことは今も忘れられません。

生徒も先生として私もはじめての成功体験。「REVOLUTION《レボリューション》」という暑苦しい言葉がダンス部員のなかに根付いた瞬間だったと思います。「自分たちでつくりあげたい」という生徒の本音が「REVOLUTION《レボリューション》」という言葉に後押しされ、自分たちの手応えとなった「はじまりの一歩」の瞬間でした。

しかし、当時の部員はこの時代を「荒野で植物を育てているような感じ」と表現しています。荒野であるがゆえに水をあげてもあげてもすぐに吸収され干からびたまま。そんな状態だったのでしょう。5月の体育祭では一定の成果を出すことができましたが、ダンス部の活動はそこでは終わりません。今までと違うことをするたびに「それはダメ」と言われることも当時は多く、頑張ろうとするほど上手くいかなくなりました。

「ダンス部が変わった！」とみんなに言ってほしい。でもそれは簡単なことではない。私たちがやろうとしていたことは「荒野に花を咲かせる」ことでした。

この時は「花」はまだまだ咲いたとは言えない状態でした。が、当時の部員たちはたくさんの水をまくため最後まで諦めず、たくさん挑戦し、たくさん失敗もしました。そして後輩にレボリューション魂を引き継いで卒業してくれました。

★ＪＫ集団をまとめるリーダーの重要性
——リーダーになるのはどんな生徒？

皆さんは、きっといろんな場面でリーダーを選んだり、または自分が選ばれたりした経験がたくさんあると思います。学校の先生や保護者からは「リーダーシップが取れることが大事だ」と言われ、でも「私にはリーダーなんて絶対無理だ」と思う人も多いと思います。

高校ダンス部は思春期真っ盛りの女子高校生の巨大な集団です。顧問も苦労しますが、それと同様か、それ以上に苦しみ悩むのはリーダーでしょう。本校のダンス部では部長・副部長がこのリーダーにあたります。特に部長が背負う重圧というのは並々ならぬものです。私にとって部長は良き相談者でもあり、私の間違いを正してくれる大切な存在です。

まさに二人三脚。喜びも苦しみもすべて共有するのがうちのスタイルです。生徒という指導される立場ではなく、同じダンス部という船の舵《かじ》を取る「同志」のほうがしっくりきます。

ここまで来ると、部長や副部長になる生徒は中学の時から優等生で模範生のような人を思い浮かべるかもしれません。が、本校のダンス部ではそんなセオリーはありません。

最近では取材依頼をいただくことも多くなりましたが、来てくださった初対面の方に「部長です」と紹介すると、「えっこの子ですか？」というようなリアクションが伝わってくることが多々あります。なぜならば、人に指示したり人前で話したりすることが苦手な子も部長や副部長になるからです。ちなみに、最初は部長らしくない生徒も1年後には堂々とダンス部を仕切り、ミーティングの時には部員にしっかり語りかけ、取材対応もプロ級になります。

私は部長や副部長を選ぶ時、明確な基準や「こうでなければいけない」という条件などを決めていません。最後は「直感」です。「直感」というとなんだか行き当たりばったりと思われるかもしれませんが、部員たちの様子をずっと見てきていろいろ考え、その時のダンス部の流れを読んでの「直感」です。

「この子だ！」と思う瞬間が不思議とやってきます。まさに原石がキラッと光る瞬間です。その瞬間は部活のなかで私が部員に発した「このままでいいのか」という問いかけに対しての行動や、私の注意に悔《くや》し涙を流しながらも練習をやり切った時などさまざまです。

私は生徒がどんなに自信がなくても、口下手でも声が小さくても、優しすぎても良きリーダーになれると思っています。集団のなかで少しだけ周りよりも頑張れる、少しだけ勇気を出して注意ができる、この「少しだけ」が非常に大切と考えます。

周りよりも「少しだけ」頑張れること、それが自分の良さです。ダイヤモンドは磨けば磨くほどに美しい光を放ちます。先生と部員の間での葛藤《かっとう》、同学年をまとめる難しさ、後輩を育てる大変さ……、ダイヤモンドを研磨《けんま》する材料を高校3年間の部活はたくさんもっています。あとはそこに飛び込む勇気だけ。

あっ、条件はないと言いましたが、生徒が自分自身で考えて「部長になる」と勇敢な決断をすることが唯一の条件です。過去の自分は関係ありません。少し先の未来の自分がどうなりたいか、そのために少しだけ勇気を出して「ＹＥＳ」と言えるかどうかだと思っています。「少しだけ」も積み重ねれば大きな力になります。

ダンス部は、心の中が山の天気のようにコロコロ変わる女子高校生の集団です。この集団を教員だけでまとめることはできません。この集団を率いるリーダーは、自分の良さや個性を信じて一番先に「成長」を見せなければいけません。その「成長」を目の当たりにした時、集団は大きく変わります。

全国大会出場という大きな目標を達成した時の部長は、卒業の時に私への手紙で「先生との3年間は本当に大変でした。私自身も部活も大きく変化したから大変でした。大変の意味がようやく理解できた気がします」と書いてきてくれました。

私はそこで初めて「大変」という言葉が好きになりました。大きく変化するから「大変」なんですね。手紙を書いてくれた部長も1年生の時は自信がなく泣いてしまうことも多々。自信のなさを隠すためかよくマスクをつけていました。その生徒は部長となり、マスクをつけず堂々と後輩の前でソロダンスを踊り、部活の未来の姿を語り、後輩の憧れの先輩となりました。

さぁ、皆さんも「少しだけ」何か頑張ってみませんか？

★脱・教師依存！　自分たちでルールを決めよ！
――「部則」の誕生

さて、ここからはダンス部が大会実績を出しはじめた時期から現在に至るまでの出来事を中心に話をしていきます。

ダンス部が全国大会にはじめて出場したのは4年目のこと。3年間で基礎をつくり、ようやく全国大会という大きな花をひとつ咲かせることができました。その頃、ダンス部には大きな変化がありました。それは自分たちで「部則」をつくったことです。

ダンス部が3年目を迎えた時、部のなかでは「大会に出場するだけではなく結果もほしい」「全国大会に出場してみたい」という意見が出始めました。真面目に練習をするようになれば全国大会という目標も頭に浮かぶのは当たり前です。その時、部を率いていた部長は私に物申してきました。

「先生は甘すぎます。ルールは守るためにあるのではないですか？」

真っ向勝負のどストレートです。正論すぎました。

彼女の言う「ルール」とは「校則」のことです。彼女は中学の時、強豪の吹奏楽部に所属していました。部活内のルールが厳しく練習もハード。いろんな大会で他校を見ていた経験もあり、全国大会に出場するためには部活内に「規律」が必要と訴えてきたのです。

ここで私は面食らいます。まさか生徒がこんな提言をしてくるとは思わなかったのです。

そして教員として恥ずかしいなとも思いました。正直、その当時は部員のだらしのない部分も見て見ぬ振りをしていたこともありました。注意しても生徒は「は〜い」というひと言で終わらせてしまうこともありました。あまり注意しすぎても部活が嫌になっても困るしと内心思っていたのです。その甘い気持ちを捨てて「鬼」になろうと決めたのは、その瞬間です。

目指すは「全国大会」。本気になっている部員に懸けてみようと思いました。部活は基本休まない、休む場合は事前に必ず顧問に相談し、当日の欠席は体調不良以外は原則認めないなどの規則をつくり、厳しい練習を課すことにしました。

WORLD HIPHOP DANCE CHAMPIONSHIP
(2019年メガクルー部門)本番

しかし、簡単に事は運びません。部員から猛反発がありました。「全国大会を目指すような部活に入った覚えはない」という意見もありました。自分たちが全国大会という夢のステージになど到底たどり着けるわけがない。たどり着けないのになぜ「努力」しなければいけないのかという訴えです。

そういう部員の意識を変えるためには「結果」が必要です。厳しい「部則」を課した代わりに「全国大会出場」という結果を出すことを部員に約束します。

何が何でも全国大会にという必死の思いと、全国大会を目指していた部員の頑張りにより4年目の6月に全国大会に初出場し、そこで審査員特別賞を受賞する快挙を成し遂げることができました。「部則」

というルールは部内に意識の向上と規律をもたらし、「全国大会で入賞」という結果も出したことで部活の雰囲気は一変します。

問題はここからでした。

ようやく荒野にひとつの花が咲き、周りの環境や部員の意識は当然高まり、荒野は草原へと姿を変えていきます。かつて荒野で育った部員は卒業し、それと入れ替えに草原で咲く花を見て入部してくる部員が増えていきます。すると、新しく入ってきた部員は大きな勘違いをします。それは「先生の言うことを聞いていれば大丈夫」「先生に任せておこう」「先生の指示を待とう」という教師依存マインドをもってしまうことです。

この本を読んでいる皆さんは決して一人の教員だけがこのダンス部をつくってきたわけではない、むしろ部員の努力と必死さが荒野を草原にまで変えたんだと気づいてくださると思います。けれども現実にはいくら説明をしても伝わらず、教師依存の思考停止型ダンス部になってしまいそうな時期もありました。

今の高校生を見ていると、みんな非常に堅実で真面目な印象を受けます。その反面、リスクを背負ったり、誰かと衝突したり、自分で「決定」することを避ける傾向があります。

自分で「決定」をすれば「責任」が伴います。「決定」をする前には自分で考えなければいけません。まさにそのみんなが大嫌いかもしれないプロセスを経験させることが私の目的であり、大切なことだと考えています。

世界大会の出場も大きなリスクを背負いました。高校ダンス部がチャレンジしたことのない未知の領域、全国大会の5年連続出場もかかっていました。でも、国内大会ではなく世界大会に出場することを自分たちで決め、見事に実行できました。

教師依存型になりかけたダンス部がここまで成長できたのはなぜか？　いろいろな理由はもちろんありますが、一番の理由は「部則」を守って続けてきたことにあると私は分析しています。全国大会に出場するためにつくった「部則」は、その後もずっと受け継がれ、ダンス部に根付いていています。

この「部則」は「校則」をベースにつくられていますが、作成するのは部員たち。毎年、3月に部則のたたき台をつくるメンバーを全学年から選びます。メンバーは、昨年の部則を見直し、反省点や分かりにくかった点などを改訂したり新たにルールを追加、撤廃《てっぱい》したりします。その後、今年の新しい「部則」を全部員と私の前でプレゼン。部員や私から意見をも

●2020年度　ダンス部部則（抜粋）

★登下校について

- ブレザーのボタンは閉める
- 携帯電話は中野坂上駅での使用禁止（登校→電車のなかで電源を消す／下校→電車のなかで電源をつける）
- 学校帰りの寄り道禁止
- 登校→コンビニ寄るのあり／下校→コンビニ禁止
- 駅にたまらない
- 下校の際は公共の場なので静かに帰る

★学校内

- 携帯電話使用厳禁
- ブレザー開けてよし／ネクタイ付ける／スカート折らない／靴下下げない…
- メイク禁止（リップも色なし）／ピアス禁止
- テストで赤点を取らない

★髪の毛

- 肩までついたら常に結ぶ／染めない／エクステ禁止…

★SNSについて

- インスタ、ツイッターもすべて鍵をかける／学校の制服の投稿禁止／部活の写真で内カメ禁止／インスタ、ツイッター等のSNSでネガティブな発言投稿禁止

★LINEについて

- 全体LINEで、先生や先輩からの報告に「はい」などの返事をしない／全体LINEで、グループに入った時の自己紹介はしなくても大丈夫／出欠席、遅刻は報告する

★返事

- 先生、先輩とすれ違った時はしっかり挨拶をする（知らない先生でも）／曲をかけてもらう時や何かやってもらう時には「ありがとうございます！」と言う／返事は、はっきり大きく

★その他

- 遊ぶ時→ローファー、なんちゃって制服禁止
- 卒業式が終わったとしても、卒業公演までは部則を守ること

2020年4月6日作成（原案）

らい再度練り直します。それを自分たちでプリントにし、4月から入部してくる新入生への説明会で発表します。

「部則」に関しては私より部員たちのほうが詳しいです。自分たちで考え自分たちで発表するこのスタイルは、部活内のルールを「決定」する権利は先生ではなく部員にあるという明確なメッセージにもなります。

部員たちはなぜこのルールを守らないといけないのかを新入部員に説明しないといけないため、自分たちの「目的」をしっかり意識することができます。この習慣はいろんなところに転用され、最近は海外遠征も増えたため海外遠征でのルール、宿泊先での過ごし方、合宿でのルールなどは私が指示を出さなくても部長や副部長を中心にすぐに作成できるようになりました。

「部則」と聞くと一見堅苦しく思いますが、部員たちは自分たちで決めたルールを守る、徹底することでチームとしての団結を確固たるものにしていると思います。

この「部則」を部員たちはどう思っているのか？　フツーのＪＫ部員のみんなの声を次の雑談会でお届けします！

●私たちの部活哲学

女子部ダンス部８期生たちとの雑談会

富士　君たちダンス部は、アメリカで世界大会に出場して素晴らしいパフォーマンスを見せてくれました。素晴らしいことですね。もう「世界のダンス部」と言えるね。

生徒　世界の……と言われても実感がわきません。

富士　実感はなくても、そういう実績を残しているのだから、胸を張って「世界のダンス部」と言えると思うよ。今日はダンス部について教えてください。君たちは中学校時代にダンスをやっていたの？

生徒　いいえ。高校生になってから始めました。

氷室　でも、中学で何か部活をやっていた人が多いよね？

生徒一同　はい。

富士　高校に入ってから始めて、初心者から世界の舞台に立つなんてすごいね。練習が厳しいのかな？　どれくらいやっているの？

生徒　火曜日と木曜日以外は毎日です。放課後4時頃から6時まで。

富士　土日も？

生徒　はい、土日も。日曜日は朝9時から夕方6時までやることもあります。ただ、土日は大会やイベントの日も多いので、いつも練習できるわけではないですね。

富士　目標にしている大会などはあるの？

生徒　一番大きいのは夏の全国大会。それに出場するためには東京都の予選を勝ち抜いていかないといけないんです。

氷室　みんながどんな思いで部活をやっているのかを知りたくて、この前、一人ずつにダンス部の活動をするうえで大切にしている7つのこと、いわば「7ルール」を書いてもらったけど、お互いに何を書いたかは知らないんだよね？

生徒　知りません。

富士　みんなが書いてくれたルールを見てまず感じたことは、一人ひとりが違う、みんなバラバラだということ。

生徒一同　（笑）

富士　一般的に言って、高校の部活が強いところは、強力な指導者やキャプテンがいて、生徒はその指導者の言うことに従う。そうすれば短い期間でけっこう強くなれます。指導者の言うことをそのまま素直に聞くから、たぶん、大切にしていることを書いてもらうとみんな同じことを書くんじゃないかと思う。つまりパターン化されているんです。でも、君たちはみんな違っていたね。それは一人ひとりが自由に考えているということだよね。

生徒　氷室先生の言うことにそのまま従うわけじゃないし……。

富士　自分で考えてやっているところが、個性的でいいし、そこがみんなの優れたところだと思うよ。ただ、面白かったのは、一番大切なルールとして、何人かが同じことを挙げていたこと。これはなんだかわかる？

生徒　ダンスのスキルを磨くとか、レベルアップを目指すとか？

富士　「部則を守る」ということです。学校の校則などは、どちらかというと破ると教師に怒られるから、しかたなく守る、というようなものだと思われているけど、ここでは自分たちから部則を破らないと言っていることに驚いた。

4つめのルール

- 常にポジティブ
- 期末テストは1位をねらう
- ダンスで人を評価しない
- 筋トレは手を抜かない
- 部活を休まない
- 体調管理をする
- 何事もあきらめない
- 電車に乗るとき周りの人に迷惑をかけないようにする
- 最初からできないって思わない
- 体調管理をしっかりする
- 常にポジティブで気持ちを強く持つ(体調が崩れなくなる!)
- 時間がかかっても、相手に伝える

5つめのルール

- ダンス部としての自覚を持って行動する
- みんなを絶対に裏切らない
- 怪我をしない
- 思ったことは素直に言う
- ダンス動画を見まくる
- 息抜きを大事にする
- 全員ができるまでやる
- 表現力
- リフレッシュの時間を取る
- 自分達がいい環境で踊れることを当たり前に思わず感謝の気持ちを常に大切にする
- 思ったことはすべて打ち明ける(良いことも悪いことも不安なども)
- 臥薪嘗胆

6つめのルール

- 校則はもちろん部則もきちんと守る
- まず1つ1つやり抜く
- よくご飯を食べる
- 個人じゃなくてチームと常に考える
- できない動きはその日のうちに出来るようにする
- 基礎を大事にする
- 年々より良いものを作る
- 感謝の言葉
- 音楽をたくさん聴く
- 考えて発言・行動をする
- あたりまえだと思わない
- 休めるときに目一杯休む

7つめのルール

- 表現力を大切にする
- 感謝の気持ちを忘れない
- 遅刻をしない
- 最後までやり抜く
- 沢山食べる
- 礼儀をわきまえる
- 体調管理はしっかり
- ポジティブ
- たくさん食べて寝る
- マイナスの気持ちを出さないようにする
- なにがあっても部活を第一に優先
- やる時はやる

ダンス部生徒が大切にしている
「7つのルール」

1つめのルール

- 自分に自信を持つ
- 言ったことは最後まで責任持ってやりきる
- 周りが気づけないことに気付く
- たくさん寝る
- 部則を守る
- 部則を破らない
- 部則を破らない
- 挨拶
- ポジティブでいる
- 部則を破らない
- 仲間を信じる
- いくら文句を言っても部活が始まればちゃんとやる

2つめのルール

- 遠くの人にでもわかるように大きく踊る
- お風呂は長めに入る
- 部活にいるときはなるべくポジティブに考える
- たくさん食べる
- 笑顔でいること
- 一回一回真剣に取り組む
- 挨拶はしっかりする
- 努力をする
- なるべく、部活を休まない
- 挨拶・返事をする
- 裏切ることはしない
- 思ったこと言いたいことははっきり言う

3つめのルール

- 挨拶と返事をしっかりする
- 誰もやらなそうなものに挑戦する
- 踊ることを楽しむ
- 部活を休まない
- 家帰ってからもイメトレとかする
- 時と場合を考え行動する
- 支えてもらった方に感謝する
- 忍耐力
- 同学年には自分が思ってることを素直に言う
- 1回1回の通しで自分の最大限を出しきる
- 支えてくれる人、応援してくれる人、環境すべてへの感謝の気持ちを忘れない
- どこをどうしたらより良くなるかを考える

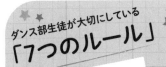

生徒　私たちは大勢の人の前でダンスを披露したり、自分たちがそれまで挑戦してこなかったことにも挑戦していくので、人の模範としての姿勢が大事ですから、当たり前のことはやろう、守ろうとしているんです。

富士　スポーツの強豪校などでは、たとえば野球さえ強ければいい、サッカーさえうまければ他のことはどうでもいいというところがあるかもしれないけど、みんなはその真逆だね。難しい言葉で言うと「規範が内面化されている」んだね。つまり、ダンサーとしての技術の成長と心の成長が、同じ軌道に乗っているということだね。ところで、誰が部則を決めるの？

生徒　代々、先輩から受け継いでます。

富士　それは絶対に変えてはいけないものなの？

生徒　変えられます。毎年、2年生に伝える時に、古くなって今にそぐわないものは廃止して、新たに必要になったものを付け加えたりしています。風紀委員会というのがあってそこで決めます。

富士　風紀委員会なんていうのがあるの？

生徒　毎年、部長と副部長が相談しながらメンバーを決めています。そこで決めた後、先生と部員にチェックしてもらい意見をもらいます。

富士　たとえば、最近、新たに付け加えた部則とか廃止した部則はどんなものがあるの？

生徒　髪型では前はこの場合はこうしてと細かく決めていましたが、人数が多くなってきたのでシンプルに「肩についたら常に結ぶ」というルールにしました。あと、学校の校則でスマートフォン・携帯電話の使用が一部認められたので、部活内での写真や動画を自分のスマホで撮影することは顧問の許可があれば大丈夫にしました。

富士　自分たちで考えているというのは本当にすごいよね。

生徒　そう言われても、当たり前にやっているだけだから何がすごいのかわかりません。私たちはもっとすごい人たちをたくさん見ていますから。先輩とか、大きな大会に行った時に他校の生徒とか。

富士　他校の生徒がすごいというのは、ダンスのスキルがすごいの？

生徒　立ち居振る舞いがきちんとしてます。でも先生がさっき言われたように、確かに指導者の言う通りに一糸乱れずに……というところが多いかもしれません。それに比べるとうちのダンス部は自由だなと感じます。
富士　どんなところが自由だと思う？
生徒　氷室先生がとにかく自由になんでもやっちゃうし(笑)。その先生のところに集まるうちらもみんな個性が強い。
富士　自由や個性って誰かに与えられるものじゃないからね。個性を発揮するって、どこかで何か当たり前のことを突き抜けていかないといけないこともある。
生徒　この前、あるダンス大会に出た時、メイクに気合い入れすぎて、「メイクが高校生らしくない」と言われて減点されました。私たちは歌いながらダンスをしますが、大会によってはあまり好ましくないとしていたり。でもダンスしている時に歌いたくなりますよね？
富士　審判に注意されたからって、そのまま従うわけじゃないんでしょ？
生徒　はい、だって会場のお客さんは一番沸いてくれましたから。
富士　自分のやりたいようにやるというパッションがないと平凡を壊していけないよね。
生徒　出たっ！　パッション！「EVERYBODY SAY, PASSION!」これがうちのチームの掛け声です。

富士　まさにそれ。今みんなは3年生だけど、これから目指していることはあるの？

生徒　後輩たちにもっとうまくなってほしい。

氷室　今の3年生は、先輩たちがすごくて、それに憧れてみんな頑張ってきたので、後輩たちにもそうなってほしいという思いが強いんだよね。先輩の卒業公演の時、「先輩、やめないでください！」て、ぎゃんぎゃん泣いてたよね。

富士　先輩後輩ということでいうと、「2年生や1年生を幼いと感じるところ」という質問、「少しのことですぐ落ち込む」「まわりを見て行動できていない」「自分のことに精いっぱい」「集中力が切れてしまう」「精神的にまだ少し不安定」「踊りばかりに集中してしまいがち」……厳しいことを書いていたね。

生徒　これは私たちの経験からですが、うちの部活は、先輩後輩の仲が良いです。でも、その関係に甘えて厳しく注意をしないでいると「結果」は出ないんです。やっぱり後輩には頑張ってほしいから「結果」を出してほしいからきちんと言うようにします。だからほめることも大事だけど、欠点や弱点をきちんと指摘することも、その子の能力を伸ばすためには大事だと思って厳しくしてるんです。

富士　言いたいことがあっても遠慮して言わない、ということはないの？

生徒一同　ないです！　逆に言いすぎるくらい。

富士　ほめられることよりも、真実・事実はどうなの？　ということだよね。それを自分たちで経験したから。後輩たちにも伝えたいということだね。それが本当の「強豪」の文化なんだろうね。人間関係が悪くなることを恐れると、だんだん真実を言わなくなるものだけど、そんなことを恐れる必要はないということだよね。「愛」があれば伝わる。

氷室　さっぱりしてるよね。潔い。

富士　後輩たちは君たちのそういう優しさを理解しているの？

生徒　う〜ん、どうだろう？　絶対伝わっていますとは自分たちで言えないです(笑)。もしかしたら、時には「いやだな」と思っていることもあるとは思いますが、結果的にはすごく頑張ってくれているので「伝わっている」と信じます！

氷室　1、2年生は3年生とはまた雰囲気が違いますね。今の3年生は、ゆっくり着実に進んでいくタイプや勢いよくパパッとやるタイプなどいろいろいて、違いを認め合いながらうまく支え合っていって、結果的に足並みがそろったという感じ。1、2年生たちは、能力がある子がいても、遠慮しあってみんな同じペースで進もうとしているところがある。ただ、うちの部活は3年生になってから意識がガラッと変わるので、今の2年生も1年生も学年が変わったらすごく成長すると思います。

生徒　私たちは言いたいことがあったら先生にもどんどん意見する。そうすると先生のほうが意見を変えてくれることがある。でも後輩たちはまだ遠慮があるのかな？　どんどんぶつけたらいいと思う！　きっとこれからバシバシやってくれると思います！

氷室　今の3年生は、その様子を見て、「もっと言いたいことをどんどん言っていいんだよ」とアドバイスしたりしている。1、2年生は3年生とはまたタイプが違うから、3年生に言われていることについて、自分たちなりの受け止め方をしていると思う。決して自分たちの意見がないわけではないのでこれからが楽しみです！

富士　みんなで意見を言い合ってよりよくしていこうとしている。まさに自治が根付いているね。自然にそれを実践しているということがすごいね。ダンス部は目立つと思うけど、他の生徒たちから嫉妬されたりすることはある？　才能のある人をうらやましく思って足

を引っ張ったり。

生徒　それはないかなあ。

氷室　同じようなレベルで、少しだけ上だと嫉妬や妬みの対象になるけれど、それを振り切って、はるかに前に行ってしまえばもう嫉妬されることはない。嫉妬から憧れになる。嫉妬していたほうは、相手を妬むのではなく、自分があそこに追いつこうと思って自分自身のことを考え始めますね。そうやってみんな成長していく。

　今回、みんなに7つのルールを書いてもらったけれど、みんなそれぞれ自分の考えをしっかりもっていてすごいなと思った。3年間、懸命に練習して、仲間たちと支え合って、時にはぶつかり合いながらダンスに向き合ってきたよね。みんなの7つのルールを見ていて、これこそみんなが自分の手でつかみ取った「部活哲学」だなと思いました。

富士　部活哲学っていい言葉だね。もうすぐ卒業だけど、卒業後もダンスを続けるの？

氷室　卒業後もダンスを続けたいからそれぞれダンスサークルなどに入るんですが、高校ダンス部ってすごく体育会系で雰囲気も独特なので。そういう独特な雰囲気が「青春」って感じだ、とみんな恋しくなるようです！　もう一回高校ダンス部入りたいみたいな声はよく聞きますね（笑）。

富士　そういう意味では、高校３年間はこれから経験できないくらい濃い３年間だったということだね。

生徒一同　（うなずく）

（２０１９年12月）

●富士校長からひと言

このダンス部には、まったくの初心者が入ってきます。そこからのストーリーは、日々の汗と涙のプロセスです。

私が、このダンス部を好きになったのは、規律を守るからではありません。自分たちで、規律をつくってまで、高みを目指そうとするからです。私が校長になり、「自己ベストの更新」とか言う前から、氷室顧問と顧問に反発しながらも信頼して、ついていくＪＫたちは、それを実行していたのです。好きなことを好きなように。かっこいい！

WORLD HIPHOP DANCE CHAMPIONSHIP（2019）

女子部ダンス部
Twitter

女子部ダンス部
Instagram

第3章

もう一度,「あなたは, この学校をどんな学校にしたいのか？」

富士晴英

★目の前の生徒のための教育

あらためて考えてみると、「あなたは、この学校をどんな学校にしたいのか？」という問いは、つまりは、誰のための教育をしたいのか、という問いでもあると思います。

入学試験のある学校は、偏差値という観点から序列化されています。この観点は、入学時の難易度をはかるものですが、その機能にとどまらず、各学校の教育の質のランキングのように取り扱われている場合が少なくないように思います。

もし、その通りであれば、学校の教育の質を上げるためには、どの学校も、偏差値を上げることを目指さなければいけないことになります。

偏差値を前提にすれば、序列化することは疑われることがありません。学校同士で、序列の順番を上げる競争が果てしなく続くことになります。さて、学校の目的は、序列の順番を上げることなのか？

そうではなくて、学校の目的とは、魅力とは、めぐりあわせでその学校に通うことになった生徒自身が、「通ってみたら、楽しい」「自分を理解してくれる人が、いる」「自分を成長させてくれる機会が、ある」等の実感をもてる場になっているかどうかで決まるのではないでしょうか。

であるとすれば、偏差値の高い学校の生徒でなければ、その実感をもてないわけではありませんから、それぞれの学校は、目の前の生徒たちのための教育を推進していけばいいということになります。

★目の前の中学生は、〇〇代表

学校は、めぐりあわせでお付き合いすることになった生徒たちと、どのように向き合えばいいのでしょうか。どんな学校であっても、先にあげたような実感を生徒にいだいてもらえる工夫は凝《こ》らせるのではないかと、教員である以上は思いたいものです。

私の考え方を申し上げたいと思います。本校の中学校に入学する生徒たちの学力層を、入学後の模擬テストの偏差値ではかると、おおまかに言えば、どうやら「フツー」と分類される層がマジョリティ（大多数）のようです。もちろん、模擬テストは私立中学受験生が受験層なので、この層のなかでは、「フツー」という意味になりますが。

その前提のうえで、私は、このフツーが大好きです。フツーとは、この受験層のボリュームゾーン（多数を占めている）ということであり、アベレージ（平均）ということです。見方によっては、このゾーンこそ、私立中学生の代表です。つまり、この代表の生徒たちに教育を行う機会に恵まれているのが、本校ということになります。

この、「フツー」の生徒たちへの向き合い方を、私は次のように思います。この生徒たちは、フツーなのだから、入学早々、いきなりトップギアに入れてはいけない。「そんなこともできないのか！」なんて言われるために、この学校に入ってきたわけではない。

フツーなのだから、「失敗してもいいからやってごらん」と言われてやってみたら、案の定、失敗した。こんなときこそ、「Nice try! Next chance!」と声をかければ、教員や学校を信頼してくれる可能性が高まるはず。

フツーなのだから、モチベーションさえあれば、精度は上がる。このタイミングで「やればできるじゃん！　You can do it!」と語りかければ、自信がつくだろう。

ここまで来たら、「人間は、目標以上の成果は出ない。だから、目標は高ければ高いほどいいんだ！」と言われても、もうひるまない。発達段階に応じて、自己肯定感をはぐくんでもらい、自己ベストの更新に挑むマインドセットを準備してほしい。

みなさんやみなさんの目の前の中学生は、どのような意味で、〇〇代表でしょうか。その生徒の学び方、生徒たちのための教育のあり方や工夫の凝らし方は、どのようなテイストでしょうか？　このテーマで、読者のみなさんと雑談会をしてみたいなと思います。

★高校教員の存在意義

本校には、高校が二つあります。創立90年以上の歴史をもつ女子部と、卒業生をまだ10回も出していない「共学部理数インター」です。前者は、さきにダンス部の活躍を紹介させていただいたように、「身体表現」に特長をもっていると思います。後者は、卒業生の言葉や読書プレゼンを紹介させていただいたように、「言語表現」に特長をもっていると思います。

二つの異なる個性の高校が併存している本校ですが、私が高校生に期待することは、ひとつです。それは、第１章でも明言した「自己ベストの更新」です。ダンス部の「自己ベストの更新」プロセスは、さきに紹介したので、ここでは高校生が大学受験生として「自己ベストの更新」に挑んでいくプロセスを考えてみたいと思います。

私は、自分自身が、大学受験をとおして成長できたという体験をもっています(ずいぶん古い話ではありますが……)。自分で志望校を決め、そこに至るまでの計画を、覚悟をもって自分で決める。いよいよ本番が間近になったら、シミュレーションの末に勝つための戦術を自分で決める。

そんな体験を、私は、１年浪人したときにようやくできました。今考えてみると、この試行錯誤は、その後の人生にとって大切な体験だったと思います。しかも、全力を振り絞ったつもりでしたが、浪人しても合格も不合格も味わいました。青春の体験は人生の予行練習だったと、今は総括しています。なによりも、目標を自分で決めて、自分の方法で勝負することこそ大切です。

翻って考えると、高校生が大学受験生として「自己ベストの更新」に挑んでいくプロセスに、この人になら付き合ってもらってもいいかな、と思ってもらえる大人になれるかどうかが、彼らや彼女らを見守る教員の存在意義なのだと思います。

大学卒業時には、教員になろうという思いがなかった私ですが、その後考え直して教員になった私でもあります。その私が、もし高校生のときにいてほしかった教員とは？　と自問自答すれば、そんなところになります。

何十年も遡《さかのぼ》った自分の高校生マインドが以上のようなものだとすれば、それと理解した今の私が、ついに「自己ベストの更新」に立ち上がった目の前の高校生にかける言葉は、「失敗を恐れずに、自分の方法をつかむまで、全力でぶちかましてこい！」です。

それが私の、はなむけの言葉です。

まさかのあとがき――「休校要請」から学校再開へ

この歳になって初めて本を書くチャンスがあるなんて、まさかなのですが、もうひとつまさかのコロナショックまで重なりました。「読書雑談会」で、太宰治と誕生日が同じだからというつかみで『人間失格』を語ってくれた生徒がいましたが、チャップリンと一緒の日に生まれた私の2020年の誕生日は、緊急事態宣言が全国に発令された日になってしまいました。

なにせ入学式も始業式もオンラインです。全日制普通科のフツーの学校にとって、フェイストゥーフェイスというフツーの方法による対話が、生徒と教員の間でできないなんて、ほんとうに緊急事態です。

宝仙学園はオンラインによるホームルーム、個別面談、授業は直ちに試行しました。もちろん、悪戦苦闘しながら。

5月4日の緊急事態宣言の延長により自宅学習期間の延長を余儀なくされたので、授業内容は、復習中心から新学年の学習範囲へ舵《かじ》を切りました。夏休みも短縮して授業時間を確保する方針も再度確認しました。それらは、必要に迫られての対応です。フツーの学校ができることは、本来なら授業をしていたはずの時間を埋めること。だけでいいんだろうか？

★「フツーの学校」の試行錯誤──「読書雑談会」から「読書カフェ」へ

「ダメ。ゼッタイ」と突き上げてくれたのは、「読書雑談会」に出てくれた高校生でした。

「校長センセイ！　『読書プレゼン部』の顧問やってくれるって言ってたじゃない！」

はい。そうでした。私は、「読書仲間」との雑談会をオンラインでする機会を、生徒に促《うなが》してもらいました。

早速、始めました。もちろん、金子さんも参加です。中学1年生も参加してくれました。この生徒たちは、制服で参加していました(他学年の参加者は私服でした)。中1の生徒たちは、制服を着て登校したことが、まだ一度もありません。オンラインとはいえ、制服姿を見せてくれたことに、せつなくも感謝します。そのなかの一人と私は、トルストイの『イワンのばか』についてのレビューをかわし合いました。

そんな雰囲気を見て取った、本書カバーデザイン監修をしてくれた石黒さんから、

「これは『読書雑談会』あらため、『読書カフェ』にしましょう！」

という提案が。もちろん、了解。つながることが目的で、続けることや広げることに意味があるのだから、その名前のほうが、ハードルが低いなら、それで結構です。

そもそも、私と50歳もはなれた中1の生徒とが、『イワンのばか』でつながったのは、私が「緊急読書宣言」なるｂｌｏｇとフライヤーを生徒たちに週1ペースで発信し、そこで紹介した本たちのなかにこのロシア民話があり、中1生が読んでみようかなと思ってくれたところからのご縁でした。「緊急読書宣言」は、「緊急事態宣言」発令にともなう自宅学習期間は実は読書のチャンスであるという考えから始めたアクションです。

以降、この「読書カフェ」は、自宅学習期間が終了するまで、Tea Friends(カフェ友だち)になった中学1年生から高校3年生までの生徒たちが、週1ペースで、ゆる〜く開店しおしゃべりしていました。

★「フツーの学校」の試行錯誤――オンライン・教科「理数インター」

教科「理数インター」の学びをオンラインでも……。そこで立ち上がったのが米澤さん。グループワークや対話をベースにするこの授業の学びを、「世界のダンス部」の氷室さん、そして石黒さんとともに、まずは学校説明会に併設するかたちで実施していた、小学生たちの体感授業として。そこでの経験を活かして中学1年生たちとも。ともに、ワイワイガヤガヤの雰囲気で。オンラインという形式でも、いつもの雰囲気を醸《かも》し出していました。

体感授業後の参加者からのアンケートでは、「普段は答えの決まった問題を解いているが、答えがひとつではない問題を解くのは初めてだったので楽しかった」「これからの〝ウィズコロナ〟の世界では、オンラインで人とつながって心を通わせあうことが必要。理数インターは、社会で必要とされる表現力、思考力、想像力が鍛えられるクリエイティブな授業スタイルだと思った」「外出自粛のなか、人とのコミュニケーションも激減で、親としては精神面でも心配していました。この状況下でも、人とつながろうと、このような機会をつくってもらい、感謝です」「このような授業が全国に広まってほしいです」など。

チーム米澤は、「答えのない学び」をリアル空間以外にオンラインでも広げられるチャンスを、手探りながらも創ってくれました。

★「フッーの学校」の試行錯誤――オンライン部活

いつもどんなときも元気！　なのに、今回の騒動ばかりは参ったという方も多いのではないでしょうか？　と思いきや……、こんな状況のなかでもイキイキと部活をしている顧問と生徒たちがいました。

それは氷室さん率いる「世界のダンス部」のみんな。部活はもちろん「オンライン」で。3月に卒業公演が中止に追い込まれたにもかかわらず、「これからはオンライン部活の時代です！」と言い、あれよあれよという間にいろんなことをやり始

めました。

「校長も YouTuber になるべきです」、なんてことを真顔で私に進言してくる氷室さんですが(この際、チャレンジしてみようかな……)、米澤さんの教科「理数インター」のオンライン体感授業に参加して刺激を受け、5月5日には宝仙学園を希望する全受験生(小学生〜中学3年生)に「こどもの日スペシャル! みんなでおうちで踊ろう!」という企画を開催してくれました。

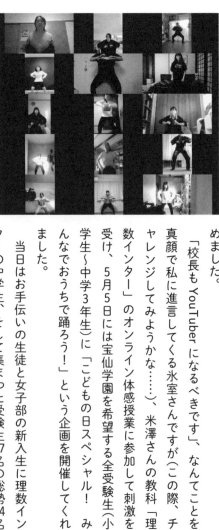

当日はお手伝いの生徒と女子部の新入生に理数インターの中学生、そして集まった受験生27名の総勢54名で楽しくオンラインでダンスをしていました。私も最後の15分についつい登場してしまいましたが、学年を超えたつながりに思わず笑顔になりました。

氷室さんは「オンライン」であったとしても「つながり続けることが大事」と、4月に本校ホームページに文章をアップしてくれていました。「部活の生徒と、つながり続けること」を自分たちの目標にチャレンジし続ける「自己ベストの更新」を、オンラインでも是非続けていってほしい。そしてその「つながり」を外部の方ともつくり続けてほしいと思っています。

やっちゃいました！
オンライン部活

★「フツーの学校」の再開プロセス

5月25日に緊急事態宣言の解除が発令されました。2月29日から続いていた自宅学習期間から、即、切り替えて、分散登校だ！　とは、本校は舵を切らないという判断をしました。

生徒・教職員の安全確保が第一だからです。東京都心の過密エリアに、公共交通機関を利用して通学するという行為は、まだ感染リスクが少なくないと考えました。

当面はオンラインでできること(授業、面談、ホームルーム、保護者会等)は継続しながら様子をうかがい、リスクが減じてきた実感が出てきたら、まずコーチング(個別面談)から登校開始と考えました。

100日近くも登校できない状況下ですごした生徒たちを、なんといっても、「なぐさめ、はげまし」しなければなりません。そのためには、やはりリアルで、フェイストゥーフェイスで、学校で、場をともにすることで、教育効果があると信じています。

「きたえる」のは、平時になってからでも間に合います。結果的に6月22日から徐々に学校を再開し、全面的に再開するのは6月30日からというステップを踏むことにしました。生徒・教職員の安全を確保したうえで、学びの支援は切らさないという方針を、その間、生徒・保護者へのビデオメッセージで、毎週配信し続けました。視聴者は、耳にタコだったかもしれません……。

全面再開を目前にした今、祈ることは、大学が、受験生が納得して勝負に挑める入試を準備してほしいということです。

さて、まさに答えのない問いに、現実に直面している今こそ、右田さんの言う「インターアクション」が大切です。私は、それを模索している仲間たちから、学ばねばなりません。

そして、そういう仲間は、日本中、いや世界中いたるところにいるはずです。

この状況が改善したときリアルに雑談会をしたいものです。

それまでは、オンライン雑談会しましょうか！

あとがき

★この本の書名と著者名と表紙について

どんな学校にしたいのか？　と試行錯誤しているうちに、一緒に、そして、それぞれに、試行錯誤してくれる教員たちや生徒たちが次々に登場してきてくれて、気がつくと、互いに試行錯誤し合う、フツーの学校ができていたというのが、私の実感です。

どんな生徒のための学校にしたいのか？　今となっては、もちろん、フツーの生徒のための中学校と高等学校だと、確信をもって言うことができます。私は、フツーの生徒の健全さと可能性に親近感を抱いているので、その様子を見守るのが、とても楽しく感じます。

そして、あらためて思うことは、私自身が、フツーのことしか言っていないということです！　本校には、他校にはない特別なことなんて、ありません。東京の私立中学校・高等学校ですから、それ自体、無条件に一般化できないということはあるかもしれません。

でも、ここまで、本書をお読みになられたみなさんは、どう感じたでしょうか。教員たちが、自分の試みたかった教育の内容と方法を、実行できる教育現場がある。生徒たちも、教員たちと場を共有しながら、自分の言葉で話し合い、表現し合える場面がある。こういう教育現場には、特殊性ではなく、汎用性があるのではないでしょうか？

みなさんの学校やみなさんの目の前の中学生と高校生とは、どのような汎用性があるでしょうか。このテーマでも、読者のみなさんと雑談会をしてみたいなと思います。

そんなわけで、書名は、『できちゃいました！　フツーの学校』。著者名は、私と「ゆかいな仲間たち」にしました。これからも、たくさんの仲間を迎え、一緒に、そして、それぞれに、試行錯誤していきたいと思います。表紙カバーのイラストは、いかがですか。私たちは、だいたいこういう調子です。

★ゆかいな仲間たちの紹介

みなさん、人となりがおのずと伝わる文章なので、私からは、シンプルに。

右田邦雄さん。普段は、副校長です。英語科教員としてもバリバリの現役です。教育目標は、自律的学習者を育てることだと常々話しています。

米澤貴史さん。普段は、教務部長。もともとは理科(生物)教員であり、教科「理数インター」のリーダー。生徒の自主性を尊重する吹奏楽部顧問でもあります。

金子忠央さん。普段は、国語科主任兼学年主任。「真面目、真っ直ぐ、一生懸命」が座右の銘なので、いちばんフツーのセンセイです。

氷室薫さん。普段は、ダンス部統括顧問兼社会科教員。ダンス部の女子高校生と本音をぶつけ合う姿は、フツーのセンセイに求められているはずのものです。

そして。

この本の制作にあたって、文章を書いたり、生徒と雑談会をしたりする以外で、大切な役割を果たしてくれた二人のセンセイは、厚めに紹介します。

まず、中野望さん。普段は、教頭兼入試広報部長です。私立学校には、広報活動という仕事があります。ついつい等身大以上のことを言いたくなるものですが、ここでも、フツーの学校にふさわしい広報をしている人が中野さんです。彼は、入学前と後のギャップをつくりたくないというのが口癖。だからこそ、入学説明会では、在学中の生徒たちにマイクを預けチャンスを提供します。生身の生徒たちを見て、何を感じるのかは、参加者に委ねるという姿勢です。フツーの学校の生徒たちの姿を見て、好感をもってくれる保護者こそ、フツーの学校に向いている保護者ですからね。

次に、石黒絵理さん。普段は、情報科教員です。特技はパンフレット編集です。この本の表紙カバーなどで使われているイラストも、石黒さんの学校イメージがまずあって、それをプロのイラストレーターに具現化してもらったものです。彼女の仕事は、フツーの子どもがフツーの本と出会うきっかけづくりです。この絵本のような表紙を見て、面白そう！と手に取ってくれるなかに、中高生だけでなく、小学生も含まれていたらいいなあと思っています。なにしろ、小学生にも、自分が読む本は自分で決めてほしいからです。

2020年6月26日

富士晴英

富士晴英
中学校・高等学校教員．
1958 年，宮城県古川市(現在の大崎市)生まれ．
現在，宝仙学園中学校・高等学校校長．

できちゃいました！フツーの学校　岩波ジュニア新書 922

2020 年 7 月 17 日　第 1 刷発行
2021 年 2 月 15 日　第 2 刷発行

著　者　富士晴英《ふじはるひで》とゆかいな仲間《なかま》たち

発行者　岡 本　厚

発行所　株式会社 岩波書店
〒101-8002 東京都千代田区一ツ橋 2-5-5
案内 03-5210-4000　営業部 03-5210-4111
ジュニア新書編集部 03-5210-4065
https://www.iwanami.co.jp/

印刷・三陽社　カバー・精興社　製本・中永製本

ISBN 978-4-00-500922-0　　Printed in Japan

岩波ジュニア新書の発足に際して

きみたち若い世代は人生の出発点に立っています。きみたちの未来は大きな可能性に満ち、陽春の日のようにひかり輝いています。勉学に体力づくりに、明るくはつらつとした日々を送っていることでしょう。

しかしながら、現代の社会は、また、さまざまな矛盾をはらんでいます。営々として築かれた人類の歴史のなかで、幾千億の先達《せんだつ》たちの英知と努力によって、未知が究明され、人類の進歩がもたらされ、大きく文化として蓄積されてきました。にもかかわらず現代は、核戦争による人類絶滅の危機、貧富の差をはじめとするさまざまな人間的不平等、社会と科学の発展が一方においてもたらした環境の破壊、エネルギーや食糧問題の不安等々、来るべき二十一世紀を前にして、解決を迫られているたくさんの大きな課題がひしめいています。現実の世界はきわめて厳しく、人類の平和と発展のためには、きみたちの新しい英知と真摯《しんし》な努力が切実に必要とされています。

きみたちの前途には、こうした人類の明日の運命が託されています。ですから、たとえば現在の学校で生じているささいな「学力」の差、あるいは家庭環境などによる条件の違いにとらわれて、自分の将来を見限ったりはしないでほしいと思います。個々人の能力とか才能は、いつどこで開花するか計り知れないものがありますし、努力と鍛練の積み重ねの上にこそ切り開かれるものですから、簡単に可能性を放棄したり、容易に「現実」と妥協したりすることのないようにと願っています。

わたしたちは、これから人生を歩むきみたちが、生きることのほんとうの意味を問い、大きく明日をひらくことを心から期待して、ここに新たに岩波ジュニア新書を創刊します。現実に立ち向かうために必要とする知性、豊かな感性と想像力を、きみたちが自らのなかに育てるのに役立ててもらえるよう、すぐれた執筆者による適切な話題を、豊富な写真や挿絵とともに書き下ろしで提供します。若い世代の良き話し相手として、このシリーズを注目してください。わたしたちもまた、きみたちの明日に刮目《かつもく》しています。（一九七九年六月）

882 40億年、いのちの旅　伊藤明夫

40億年に及ぶとされる、生命の歴史。それをひもときながら、私たちの来た道と、これから行く道を、探ってみましょう。

883 生きづらい明治社会 ―不安と競争の時代　松沢裕作

近代化への道を歩み始めた明治とは、人々にとってどんな時代だったのか？ 不安と競争をキーワードに明治社会を読み解く。

884 居場所がほしい ―不登校生だったボクの今　浅見直輝

中学時代に不登校を経験した著者。マイナスに語られがちな「不登校」を人生のチャンスととらえ、当事者とともに今を生きる。

885 香りと歴史 7つの物語　渡辺昌宏

玄宗皇帝が涙した楊貴妃の香り、織田信長が切望した蘭奢待など、歴史を動かした香りをめぐる物語を紹介します。

886 〈超・多国籍学校〉は今日もにぎやか！ ―多文化共生って何だろう　菊池 聡

外国につながる子どもたちが多く通う公立小学校。長く国際教室を担当した著者が語る、これからの多文化共生のあり方。

889 めんそーれ！ 化学 ―おばあと学んだ理科授業　盛口 満

料理や石けんづくりで、化学を楽しもう。戦争で学校へ行けなかったおばあたちが学ぶ教室へ、めんそーれ(いらっしゃい)！

888・887 数学と恋に落ちて
未知数に親しむ篇
方程式を極める篇
ダニカ・マッケラー
菅野仁子訳

将来、どんな道に進むにせよ、数学はあなたに力と自由を与えます。数学を研究し、女優としても活躍したダニカ先生があなたの夢をサポートする数学入門書の第二弾。式の変形や関数のグラフなど、方程式でつまずきやすいところを一気におさらい。

890 情熱でたどるスペイン史
池上俊一

長い年月をイスラームとキリスト教が影響しあって生まれた、ヨーロッパの「異郷」。衝突と融和の歴史とは？（カラー口絵8頁）

891 不便益のススメ
―新しいデザインを求めて
川上浩司

効率化や自動化の真逆にある「不便益」という新しい思想・指針を、具体的なデザイン、モノ・コトを通して紹介する。

892 ものがたり西洋音楽史
近藤　譲

中世から20世紀のモダニズムまで、作曲家や作品、演奏法や作曲法、音楽についての考え方の変遷をたどる。

893 「空気」を読んでも従わない
―生き苦しさからラクになる
鴻上尚史

どうしてこんなに周りの視線が気になるの？　どうして「空気」を読まないといけないの？　その生き苦しさの正体について書きました。

894 内戦の地に生きる
—フォトグラファーが見た「いのち」
橋本　昇
母の胸を無心に吸う赤ん坊、自爆攻撃した息子の遺影を抱える父親…。戦場を撮り続けた写真家が生きることの意味を問う。

895 ひとりで、考える
—哲学する習慣を
小島俊明
主体的な学び、探求的学びが重視されているなか、フランスの事例を紹介しながら「考える」について論じます。

896 「カルト」はすぐ隣に
—オウムに引き寄せられた若者たち
江川紹子
オウムを長年取材してきた著者が、若い世代に向けて事実を伝えつつ、カルト集団に人生を奪われない生き方を説く。

897 答えは本の中に隠れている
岩波ジュニア新書編集部編
悩みや迷いが尽きない10代。そんな彼らに、個性豊かな12人が、希望や生きる上でのヒントが満載の答えを本を通してアドバイス。

898 ポジティブになれる英語名言101
小池直己
佐藤誠司
プラス思考の名言やことわざで基礎的な文法を学ぶ英語入門。日常の中で使える慣用表現やイディオムが自然に身につく名言集。

899 クマムシ調査隊、南極を行く！
鈴木　忠
白夜の夏、生物学者が見た南極の自然とは？ 笑いあり、涙あり、観測隊の日常がオモシロい！〈図版多数・カラー口絵8頁〉

900 男子が10代のうちに考えておきたいこと　田中俊之
男らしさって何？　性別でなぜ期待される生き方や役割が違うの？　悩む10代に男性学の視点から新しい生き方をアドバイス。

901 カガク力《りょく》を強くする！　元村有希子
疑い、調べ、考え、判断する力＝カガク力！　科学・技術の進歩が著しい現代だからこそ、一人一人が身に着ける必要性と意味を説く。

902 世界の神話　沖田瑞穂
個性豊かな神々が今も私たちを魅了する聖なる物語・神話。世界各地に伝わる神話のエッセンスを凝縮した宝石箱のような一冊。

903 「ハッピーな部活」のつくり方　中澤篤史　内田　良
長時間練習、勝利至上主義など、実際の活動から問題点をあぶり出し、今後に続くあり方を提案。「部活の参考書」となる一冊。

904 ストライカーを科学する　―サッカーは南米に学べ！　松原良香
南米サッカーに精通した著者が、現役南米代表などへの取材をもとに分析。決定力不足を克服し世界で勝つための道を提言。

905 15歳、まだ道の途中　高原史朗
「悩み」も「笑い」もてんこ盛り。そんな中学三年の一年間を、15歳たちの目を通して瑞々しく描いたジュニア新書初の物語。

906 レギュラーになれないきみへ 元永知宏

スター選手の陰にいる「補欠」選手たち。果たして彼らの思いとは？ 控え選手たちの姿を通して「補欠の力」を探ります。

907 俳句を楽しむ 佐藤郁良

句の鑑賞方法から句会の進め方まで、季語や文法の説明を挟み、ていねいに解説。句作の楽しさ・味わい方を伝える一冊。

908 発達障害 思春期からのライフスキル 平岩幹男

「今のうまくいかない状況」をどうすれば「何とかなる状況」に変えられるのか。専門家がそのトレーニング法をアドバイス。

909 ものがたり日本音楽史 徳丸吉彦

縄文の素朴な楽器から、雅楽・能楽・歌舞伎・文楽、現代邦楽…日本音楽と日本史の流れがわかる、コンパクトで濃厚な一冊！

910 ボランティアをやりたい！ ―高校生ボランティア・アワードに集まれ さだまさし 風に立つライオン基金 編

「誰かの役に立ちたい！」 各地でボランティアを行っている高校生たちのアイディアに満ちた力強い活動を紹介します。

911 オリンピック・パラリンピックを学ぶ 後藤光将編著

オリンピックが「平和の祭典」と言われるのはなぜ？ オリンピック・パラリンピックの基礎知識。

912 新・大学でなにを学ぶか　上田紀行 編著
大学では何をどのように学ぶのか？ 池上彰氏をはじめリベラルアーツ教育に携わる気鋭の大学教員たちからのメッセージ。

913 統計学をめぐる散歩道 ―ツキは続く？ 続かない？　石黒真木夫
天気予報や選挙の当選確率、くじの当たり外れやじゃんけんの勝敗などから、統計のしくみをのぞいてみよう。

914 読解力を身につける　村上慎一
評論文、実用的な文章、資料やグラフ、文学的な文章の読み方を解説。名著『なぜ国語を学ぶのか』の著者による国語入門。

915 きみのまちに未来はあるか？ ―「根っこ」から地域をつくる　除本理史／佐無田光
地域の宝物＝「根っこ」と自覚した住民によるまちづくりが活発化している。各地の事例から、未来へ続く地域の在り方を提案。

916 博士の愛したジミな昆虫　金子修治／鈴木紀之 編著／安田弘法
SFみたいなびっくり生態、生物たちの複雑怪奇なからみ合い。その謎を解いていくワクワクを、昆虫博士たちが熱く語る！

917 有権者って誰？　藪野祐三
あなたはどのタイプの有権者ですか？ 社会に参加するツールとしての選挙のしくみや意義をわかりやすく解説します。

918 議会制民主主義の活かし方
―未来を選ぶために
糠塚康江

私達は忘れている。未来は選べるということを。必要なのは議会制民主主義を理解し、使いこなす力を持つこと、と著者は説く。

919 繊細すぎてしんどいあなたへ
HSP相談室
串崎真志

繊細すぎる性格を長所としていかに活かすかをアドバイス。「繊細でよかった!」読後にそう思えてくる一冊。

920 10代から考える生き方選び
竹信三恵子

10代にとって最適な人生の選択とは? 各選択肢が孕むメリットやリスクを俯瞰しながら、生き延びる方法をアドバイスする。

921 一人で思う、二人で語る、みんなで考える
―実践! ロジコミ・メソッド
追手門学院大学成熟社会研究所 編

課題解決に役立つアクティブラーニングの道具箱。多様な意見の中から結論を導くロジカルコミュニケーションの方法を解説。

922 できちゃいました! フツーの学校
富士晴英とゆかいな仲間たち

生徒の自己肯定感を高め、主体的に学ぶ場を作ろう。校長からのメッセージは「失敗OK!」「さあ、やってみよう」

923 こころと身体の心理学
山口真美

金縛り、夢、絶対音感――。様々な事例をもとに第一線の科学者が自身の病とも向き合って解説した、今を生きるための身体論。

924 過労死しない働き方
―働くリアルを考える
川人 博
過労死や過労自殺に追い込まれる若い人を、どうしたら救えるのか。よりよい働き方・職場のあり方を実例をもとに提案する。

925 障害者とともに働く
藤井克徳
星川安之
「障害のある人の労働」をテーマに様々な企業の事例を紹介。誰もが安心して働ける社会のあり方を考えます。

926 人は見た目!と言うけれど
―私の顔で、自分らしく
外川浩子
見た目が気になる、すべての人へ!「見た目問題」当事者たちの体験などさまざまな視点から、見た目と生き方を問いなおす。

927 地域学をはじめよう
山下祐介
地域固有の歴史や文化等を知ることで、自分・社会・未来が見えてくる。時間と空間を往来しながら、地域学の魅力を伝える。

928 自分を励ます英語名言101
小池直己
佐藤誠司
自分に勇気を与え、励ましてくれるさまざまな先人たちの名句名言に触れながら、自然に英文法の知識が身につく英語学習入門。

929 女の子はどう生きるか
―教えて、上野先生!
上野千鶴子
女の子たちが日常的に抱く疑問やモヤモヤに、上野先生が全力で答えます。自分らしい選択をする力を身につけるための1冊。